シリーズ・フォーサイス研究《1》

P・T・フォーサイス

聖なる父

――コロナの時代の死と葬儀

川上直哉［訳著］

YOBEL,Inc.

凡例

・［ ］は、訳註を表す。

　例：［Arthur James Balfour, 1848-1930］

・（ ）は、原註を表す。

　例：（ロンドン大学のハクニー・カレッヂ）

・聖書の引用については、フォーサイスが初期近代英語で翻訳された聖書を用いている時に限り、「舊約聖書」（明治訳）を用いる。ただし、「エホバ」はすべて「主」に置換する。

はじめに

P・T・フォーサイスの説教『聖なる父』をここに訳出してお送りします。

海外の「権威ある」神学書を輸入し、「横のものを縦に直して」世の中に提供する。そのことに、どんな意味があるのでしょうか。――この問いは、20世紀の後半、真剣に問われました。自らの尊厳を賭けて学ぶ女性たちの中から。構造的に貧しくさせられている共同体の中から。暴政のもとで自由を奪われた人々の中から。陰険で陰湿な植民地主義の圧力の下で。その問いは、命を懸けて、提起されたのでした。

今は21世紀です。20世紀の後半に命懸けで提起された問いを、無視することはできません。今、しかし私は、それでもここに、フォーサイスの説教を訳出してお送りします。そこに、どんな意味があるでしょうか。

この翻訳は、日本基督教団石巻栄光教会の学習会として、神学を学びたいと願う市井の方々のご協力を頂いて完成したものです。その翻訳をしている中で、2020年のパンデミックが起こりました。その混乱と困難の中で、この『聖なる父』で語られている「キリストの沈黙」が、一つの力を私に与えました。そのことを結論に持ち込み、まとめた論文を付しました。ご高覧に与《あずか》れば、「今・ここ」でフォーサイスを読むことの意味も、お分かりいただけるのかもしれません。

また『聖なる父』の背景にある聖書学の解説も付しました。少々煩瑣な議論となるかもしれませんが、より深い理解のためにお役に立つと思います。またそこに明らかにされる「教理」と「教会」と「社会の救い」についてのフォーサイスの理解は、フォーサイスの「Positive Theology」を理解するのにも役立つことでしょう。

翻訳をお読みいただく前に、ごく簡潔にですが、フォーサイスについて、その生涯とその影響を以下に記します。

フォーサイスは1848年5月12日、スコットランド北東部、北海に面しドン河とディー河に挟まれた都市アバディーンの北側にあるオールド・マーチャー教区で生まれました。両親は貧しいスコットランド人でしたが、当時始まった「奨学金」によって、身分社会であるはずの英国でフォーサイスは、大学で神学の学位を取得しドイツに留学します。

スコットランドでは少数派となる会衆派教会（組合教会）の信仰を子どもの時から保持し、学業を終えた後は1876年から1901年までの25年、牧師として働きました。その最初は「異端的」と目されつつ、政治的・社会的正義を主題として新聞・雑誌に寄稿しながら人文学と芸術に造詣を深め、その牧師時代の最後にケンブリッジ・エマニュエル教会牧師として活躍します。今回翻訳した『聖なる父』はその頃発表され、後々まで高い評価を獲得したもの

でした。

この時期までのフォーサイスの伝記を、ストダートという新聞記者（ペンネームをローナといいました）が、１９０１年の春、フォーサイスにインタビューをしてまとめています。その全訳をこの後に掲載しますから、どうぞ、『聖なる父』読解の補助として、ご高覧ください。

１９０１年からフォーサイスは会衆派教会の全寮制神学校（ロンドン大学のハクニー・カレッヂ）で校長として働きます。当時、会衆派教会が支援した自由党が「地すべり」的に選挙で勝利して政権交代が起こり、フォーサイスは教育改革などに積極的にかかわっていきます。その中で激しい神学論争が起こり、親しい友人と厳しい対立を余儀なくされ、そして第一次世界大戦となって神学校も閉鎖されます。その中で自由・権威・神義論・教会・いのちなどを論ずるいくつもの書物やパンフレットを著して、１９２１年11月11日――その日は「4度目の終戦記念日」でした――にフォーサイスは召天します。

30を超えるパンフレットや単行本を上梓し、４００を超える論稿を新聞雑誌に発表し続けたフォーサイスは、存命中から英国内で多くの議論の的となりました。その逝去に際しては12に及ぶ新聞に多くの人々の追悼文が掲載されました。その後、英語圏においてしばらくフォーサイスは忘れられますが、第二次世界大戦の終盤から注目を集め、戦後には「フォーサイス・ルネサンス」と呼ばれる現象が起こります。そしてその影響は今でも残っています。例えば20世紀後半の米国で活躍したユージン・ピーターソンは「フォーサイスこそ、私が最も頼りにする神学者だ」と書き残しています。

日本においては、英語圏で忘却された1930年代に盛んに読まれています。「神学校では、フォーサイスが必読書とされた」と、1945年以前の神学校を知っている先輩諸師が語っていたことを、私も直接聞いています。そのなかで「フォーサイスと言えば『聖なる父』だ」と、何度か聞いていました。『聖なる父』というフォーサイスの説教は、1896年に発表されてすぐ、新聞に掲載され、全文を掲載したパンフレットが翌年出版されます。そのパンフレットは、フォーサイスの生前も没後も版を変えてたびたび出版されました。日本でも1908年（フォーサイスが神学論争に巻き込まれていた頃）今泉真幸氏が日本基督教青年会同盟（現在の日本YMCA同盟）から『聖なる父』と題して訳書を出版しています。私の翻訳は、その翻訳以来のものとなります。私が訳し、学習会でその読み合わせをし、翻訳作業は進められました。読み合せに参加してくださった各位がいなければ、作業はきっと（すでにいくつかの私の訳業が止まったままであるように）中途でとん挫したことでしょう。お一人おひとりに、深く感謝を表します。

2020年5月24日　石巻にて

「聖なる父」

コロナの時代の死と葬儀――聖なる父の現代的意義

目次

ケンブリッヂのP・T・フォーサイス博士――その半生

――British Weekly, Mar. 7th, 1901.

来週には、「ロンドン大学ハクニー・カレッジの学長に就任予定」となるかもしれない。しかし、この記事を書いている段階において、まだ博士はケイヴ博士の後任としてロンドンのハムステッドへ転任するのかどうか、思案中であるという。

今のピーター・テイラー・フォーサイス博士［Peter Taylor Forsyth, 1848-1921］である。フォーサイス博士は、自らの身の処し方を、自由教会宣教団［Free Church Mission］に預けている。ロンドンとリバプールで博士はこの宣教団に積極的にかかわってきた。その他の地域でも、博士はこの団体に長くかかわり、そのための長期出張もたびたびであった。来週ケンブリッジで行われる教会の会議において、博士はきっと、次の任務への正式な招聘を受けることだろう。

ロンドンにフォーサイス博士が着任したら、会衆派教会［組合教会］のカレッジの中で博士は「もっとも若い責任者」と見られるに違いない。会衆派のカレッジとしては、ロンドン大学ハクニー・カレッジのほかに、ロンドン大学にはニュー・カレッジがあり、オクスフォード大学にマンスフィールド・カレッジがあり、そしてケンブリッジ大学にはチェサント・カレッジがある。フォーサイス博士がハクニー・カレッジに着任したら、学生たちはきっと「自分たちに近い年齢の学長が誕生した」と感じることだろう。博士は１８４８年に生まれた。今年53歳となる博士は、しかし「42歳だ」といった方が自然に見える。説教において、そしてその会話において、フォーサイス博士は「未来を担う人」という印象を、聞く人に与える。政治家のイメージがあるな、と、私は常々、博士に感じている。例えば、アーサー・バルフォア［Arthur James Balfour, 1848-1930］――彼も今年53歳となる。あるいは、ロード・ローズベリー［Archibald Philip Primrose, 1847-1929］――彼は博士より一歳年上となる。若々しくありたいと願う人にとって、聖職者という仕事は、どれくらい役に立つのだろうか……そんなことを、フォーサイス博士を見ているとつい、考えてしまう。

その少年時代とアバディーン

フォーサイス博士はいつも激しく働く人であった。その経歴は興味深い出来事で彩られている。博士はスコットランド北部の都市アバディーンで、ケルトの遺産を引き継いで生まれた。博士の母はマクファーソンといい、スコットランド高地キングシーの人であった。博士の父は低地のスペイサイド出身だった。博士の名前親であるピーター・テイラー氏はアバディーンの人で、町では尊敬される人物として知られ、市議会議員であった。博士の両親はスコットランド自由教会の会員だったが、次第に会衆派教会に惹かれていった。スコットランド北東部において、フォーサイスの子ども時代、会衆派教会は非常に勢いがあったのである。宣教する教会として知られ、中国への宣教師派遣も熱心に行っていた。ブラックフライヤーズ・ストリート教会が、フォーサイス一家の通った教会だった。小さな教会で、古い建物を教会堂とし、そこにはしかし見るべき人物が多くいた。モリソン、レギー〔James Legge, 1815-1897〕、そしてスペンス〔James Spence とその弟 Robert Spence〕といった宣教師・牧師家族がいた。ジョージ・マクドナルド〔George Macdonald, 1824-1905〕もその若い日々をこのアバディーンの教会で過ごしていた。

フォーサイス博士に洗礼を授けたのは、ニニアン・ワイト牧師〔Ninian Wight, １８４８―１８５２年に同教会を担当〕だった。ケネディー博士〔John Kennedy, １８３５―１８４６年に同教会を担当〕がライト牧師の前任者として有名で、そしてライト牧師の後はギルフィアン氏〔Thomas Gilfillan, １８７０年まで同教会を担当〕が牧した。氏は今、これからフォーサイス博士が着任するだろうハムステッドに住んで、西ハムステッド会衆派教会の会員となっている。ギルフィアン氏の説教とその個人的感化について、フォーサイス博士は多くのことを覚えている。古くなったブラックフライヤーズ教会の建物は取り壊され、その会員は郊外に分かれて行った。「ブラックフライヤーズ」という教会の名前がなくなってしまった。この教会の名前は歴史的に見てとても意味あるもので、それがなくなってしまったことは、とても寂しいことだ、とフォーサイス博士は考えている。

フォーサイス博士はスコットランドの国教会立小学校で初等教育を受けた。卒業後、博士はグラマースクールに進んだ。博士の家は港湾の近くにあった。出入りする船を見るときのときめきを、博士はよく覚えている。スチーブンソン〔Robert Louis Balfour Stevenson, 1850-1849『ジキル博士とハイド氏』で有名〕は、エディンバラのノースブリッヂで列車が出入りするのを見て育ち、いつか自分もこの列車に乗って遠くへ旅立とうと思っていたという。そんな感じで、このアバディーンの少年も出入りする船を眺めながら物思いにふけり、たくさんのきらきらした冒険に胸を膨らませていたことだろう。少年たちのお気に入りの楽しみといえば、大人になったらわざわざ足を踏み入れることをためらうような、ぐちゃぐちゃに入り組んでいるスラム街や怪しげな路地を、追いかけっこをして駆け抜けることにあった。リード〔Thomas Mayne Reid, 1710-1796〕の小説が、当時の少年たちに人気だった。フォーサイス博士も、授業中に机の下で小説を隠し読みしていたことを思い出し、そんなときは自分がどこにいるのかを忘れるほどに夢中になった、と思い出して語っていた。グラマースクールと大学を通じて、フォーサイス博士のクラスメートだった故エルスミー教授〔William Gray Elmslie, 1848-1889〕もまた、若い頃に小説にはまっていたそうだ。

グラマースクールを修了した時点ですでに、特に古典教養の学習において優秀な生徒であったフォーサイス博士は、大学に進学して、ラテン語とギリシア語に優れた成績を残した。ラテン語の成績において歴代最も優秀とされてきたのはメルヴィン博士〔James Melvin, 1795-1853〕だったが、フォーサイス博士が大学に進んだころに逝去していた。大学での最初の訓練を回顧して語る中で、古典教養教育を軽視する現下の風潮に対し、フォーサイス博士はたくさん言いたげな様子だった。「たとえギリシア語の科目を廃止することがあったとしても、ラテン語の科目は、その計り知れない価値を考えると、どうしても取り換えがきくとは思えないのです」と、博士は語っていた。

グラマースクールからアバディーン大学へ進んだフォーサイス博士は、1899年にゴールドメダルを獲得して最優秀で大学を卒業した。ミント教授〔William Minto, 1845-1893〕、ウィリアム・ハンター博士〔William Alexander Hunter, 1844-1898〕、ラムゼイ教授〔William Mitchell Ramsay, 1851-1939〕が博士の同級生だった。博士が「特別な恩義を感じた」と振り返って感謝を覚える教授は、哲学を担当したベイン博士〔Alexander Bain, 1818-1903〕だった。二つあったベイン教授の授業の両方で、フォーサイス博士は最優秀の成績をとった。このことを、博士は本当にうれしそうに思い出していた。

フォーサイス博士の意見に従うなら、アバディーン大学のカリキュラムは厳しすぎるものだった。このことに疑いはないという。次から次へと試験も行われた。本をとにかくたくさん読むように指導され、博士の健康は、いつも病んでいた。世の中の楽しみや運動によってその体調を改善することは、ほとんどできなかった。今の学生たちは、もっと体に優しい健康的な生活を送っている。スポーツに熱心に取り組むことで、「猛烈で容赦ない鍛錬」という学業のプレッシャーから、ずいぶん解放されている。「しかし」と博士は言う。「学位取得のための『選択科目』というシステムが持ち込まれ、ずいぶん変わりました」とのことである。哲学の知識があるかどうかで、教育があるかどうかを見分けることができたのだが、スコットランドでは、哲学の知識なしに学位が取れるようになった。そうしたことは、彼の時代にはまず考えられなかったのだ。

ゲッティンゲンとリッチュル

インチマーロに住む故パトリック・デヴィッドソン氏の家族のチューター［個人指導の教師、家庭教師］として、スコットランドのディーサイドで一年ほどを過ごした後、フォーサイス博士はゲッティンゲン大学に進学した。故ロバートソン・スミス教授［William Robertson Smith, 1846-1917］の助言と支援がこの留学を後押しした。スミス教授はアバディーン大学の一年ないし二年先輩だった。そこで博士はリッチュル［Albrecht Benjamin Ritschl, 1822-1889］の講義を聞いた。当時リッチュルは、その生涯の中で最も有名になる、その少し前の時期だった。ゲッチンゲンでは英国人がそれなりに大きな集団を作っていた。日曜ごとに英語の礼拝も行われていた。英国人留学生はそこで互いを知り合い、結果、ドイツ人とはあまり知己を得なかった。

リッチュルは力にあふれた雰囲気を持った人で、知的にも実際にもどっしりとして重厚感があった。あまり共感的な人ではなく、その天才に魅せられて学ぼうと寄ってきた学生たちも、その多くはリッチュルから暖かい対応を引き出すことができなかった。フォーサイス博士によると、リッチュルは学生たちにおおむね良い影響を残したという。リッチュルはバウアー［Ferdinand Christian Baur 1792-1860］が残した破壊的な神学理論を精査した。加えて興味深いことに、新しい『聖書百科全書』に携わったシュミーデル［Paul Wilhelm Schmiedel, 1851-1935］等が示した、19世紀中葉の極端な見解への反動回帰について、リッチュル学派は、それはもう古く役立たなくなったことを論じていた。「この『百科全書』に示された立場は、これからさらに大きな反動を生むでしょう」とフォーサイス博士は見て、「これからクリスチャンは一般に、聖書学における高等批評の立場を離れ去り、これまで以上に教会の権威に従順になるでしょう。そのことを聖書学者たちは危惧していました」と語った。

もしフォーサイス博士がハクニー・カレッジに着任したら、きっと彼は、ドイツで自分自身が受けたような神学的訓練に与えるように、学生たちを励ますだろう。というのも、もっとも重要な知的出来事として、博士はゲッティンゲン大学での学びを振り返っていたからだ。

牧師になる前の一年間、博士はハムステッドにあるロンドン大学ニュー・カレッジで、ニュース博士［Samuel Newth, 1821-1898］の下に学んだ。ブリックストンで牧会をしていたブラウン氏［James Baldwin Brown, 1820-1884］の教会のメンバーとなり、日曜日ごとに教会に行くついでに、ロンドン南部を定期的に見て回っていた。

シプリーでの牧会

ブラウン氏の紹介もあって、幸いなことに、博士は牧師としての最初の任地を、ブラッドフォード近郊のシプリーにある教会に得た博士は、ロンドン南部の牧師や神学生の間に、モーリス〔Frederick Denison Maurice, 1805-1872〕に心酔する仲間を得ていた。フォーサイス博士はモーリスと知己を得ていた。アバディーン同郷の徒であるジョン・ハンター博士〔John Hunter, 1849-1917〕の紹介によるものだった。モーリスは1860年代の終わりにアバディーンでしばしば説教をしていた。その説教は強力で熱意にあふれ、圧倒的に魅力的だった。若きフォーサイス博士を含む多くの学生たちが、その感化を大いに受けていた。ジョージ・マクドナルドの小説と説教の影響も相まって、博士はモーリスにいよいよ傾倒したのだ。『啓示とは何か?』『社会における道徳』『神学論集』などが、モーリスの代表的著作だった。ニュー・カレッヂでフォーサイス博士はモーリスの著作を探し、古本屋を回っては手当たり次第に購入していた。「ロンドンで一番のモーリス主義」と、ブラウン氏はフォーサイスを評していた。そして、シプリーでのフォーサイスの説教に、そうした影響は明らかだった。リッチュルとモーリスには「どんな教師よりも多くを負っている」と、今でもフォーサイス博士はそう感じている。しかし、そう語る時にもなお、フォーサイス博士ははっきり、モーリスの名を最初に挙げていた。

シプリーでの博士の立場はヨークシャーの会衆派教会同盟からは異端視されていた。その教会の中心になっている人々が「教会」という形式や呼称を拒否し、会員制度も否定していたからだ。こうしたことは、会衆派教会としてはきわめて特殊なことだった。こうした背景には、ブラウンの影響が見受けられた。ハリファックスのメラー博士〔Enoch Mellor 1823-1881〕が代表する古いタイプの神学の影響を、ブラウンが打ち消していた格好だった。1876年から1880年までのその教会での働きを、フォーサイス博士は懐かしい思いで振り返っていた。

ヨークシャーにいる間、フォーサイス博士はピクトン氏〔James Allanson Picton, 1832-1919〕と知己を得て「レスター会議」に参加することになった。このことが機縁になって、ピクトン氏は自らがロンドンのハクニーにあるセント・トーマス・スクエアー教会の牧師を辞する時、フォーサイス氏を後任に推薦することになる。

シプリーにいる間、若い牧師として、フォーサイス博士はフェアベアン博士［Andrew Martin Fairbairn, 1838-1912］の影響を受けた。エアデール・カレッジで講義をしていたフェアベアン博士から多くを学んだのである。「その著書からも学びつつ、フェアベアン博士自身との厚誼《こうぎ》［親しくお付き合いしていただく。］と対話に多く学んだことが、とても意義あることでした」と博士は振り返っていた。

ハクニーのセント・トーマス・スクエアー教会

セント・トーマス・スクエアー教会の歴史は、チャールズ二世の時代までさかのぼる。今の教会堂は１７７１年頃に建設されたという。そしてその「教会創設」は、それからさらに百年ほど古いものとなる。この教会を創設したのはクリストファー・ベイツ博士であった。この人は国王のチャプレンで、長老派の牧師であり、その時代、もっとも雄弁な説教者として有名だった。フォーサイス博士は、自分が著した説教集を読み返し、そこに重厚で優美な言葉遣いを確認しながら、「ピューリタンの中であまり知られていない聖職者たちが残した言葉の一つ一つに、現代の人々にとって計り知れない価値があると考えて、自分もこうした言葉遣いをしている」と語った。ベイツ博士の後任として、聖書注解で有名なマシュー・ヘンリー〔Matthew Henry, 1662-171〕がこの教会を牧した。その他にもエドワード・カラミー、サミュエル・パルマー〔Samuel Palmer, 1741-1813〕、ジョージ・ブルーダーといった人々が教会の責任を担った。名著を遺したこれらの人々は結束し、よき引継ぎをして、代々続く聖職者のチームワークを示していた。そしてそうした一群に、ピクトン氏の著作と、そしてフォーサイス博士の素晴らしい著書を加えてみることができるだろう。こんなに長く、筆に長けた牧師が次々と牧会し続けた教会は、おそらくほかにないだろうと思われる。

セント・トーマス・スクエアー教会も、シプリーの教会のように、ロンドンの会衆派連盟から異端視されていた。実際、ピクトン氏は神学的に疑義ありとされていた。ピクトン氏の神学は、一方では汎神論に傾きつつ、同時に他方で、福音書を文献学的に批判する先進的な聖書学に傾倒していた。それでも、フォーサイス博士は「ピクトン氏が教会から引退してしまったことは非国教会全体の重大な損失でした」という。「ピクトン氏の祈りの言葉は、今でもとても印象に残っています」というフォーサイス博士は「その厳しいまでに知的な誠実さこそ、私にとって、印象深いものでした」と語った。「ピクトン氏の中で霊的情熱と知的力が上手くかみ合っていましたね」とも語った。ロンドンのあらゆるところから、ピクトン氏の強烈なパーソナリティーに惹かれて、人々が集まってきていた。フォーサイス博士はそうして集まっていた人々には興味も示さず、この時期はただ、ひたすら学業に没頭していた。ハクニーにいた時ほどよく学んだことはなかったという。ドクター・ウィリアムズ図書館にいつも通い、必要とする本はすべてそこで読むことができた。そのころ、学生たちは、その図書館から自由に本を借り出すことができた。今それができなくなっていることは、ロンドンで働く多くの人にとって残念なことになっている。このハクニーでの期間を通じて、なお、フォーサイス博士の神学的立ち位置を決定していたのはモーリスだった。

最近の様子からすると、フォーサイス博士と政治的活動とは、つながらないような気がする。しかし、その牧師としての活動の初期において、博士は地方行政と政治を主題とした集会に積極的に参加していた。ショーデッチの演壇でフォーセット氏［Henry Fawcett, 1833-1884］とピクトン氏と共に、博士はしばしば演説をしていた。具体的な社会事業にも関わっていたが、この時期の終わりのころ、体調を崩して政治活動から距離をとらざるを得なくなった。しかしそれでも、自由党内で戦わされたアイルランド関連法の政策論議に、最初から最後まで加わっていた。そして今でも、自由党を支持し続けている。

ともかく、ロンドンに戻った時、彼は、しかしやはり、ロンドン会衆派教会同盟から疎外されていた。博士は、その前にヨークシャー会衆派教会同盟から拒絶されていたが、その理由は「贖罪論においてよろしくない見解を保持していること」と「シプリーで彼が牧師として奉職した教会が独立独歩の姿勢を示したこと」などがその理由として記録されている。しかし博士は、ロンドンで受け入れられた。パーカー博士〔Joseph Parker, 1830-1902〕とウィリアムス氏〔Charles Fleming Williams, 1852-1937〕が主導するグループが、ロンドン市街地区の交わりにフォーサイスを招き入れたのである。自身が教団の仲間に入れてもらえなかった期間について「それは不幸なことでした」と博士はいう。今、「協力の強化」というグラッドストン氏〔William Ewart Gladstone, 1809-1898〕のキャッチフレーズの重要性を、博士は重要視している。「各個教会がその力を発揮するためには、中央に設定された組織と緊密に結合する中で活動しなければならない」と、フォーサイス博士は考えている。シラー〔Johann Christoph Friedrich von Schiller, 1759-1805〕の戯曲『メリー・スチュワート』の登場人物モルティマーが語った有名なセリフをフォーサイス博士は引用した。いわく「全体をすべて信じることが、一つ一つの信ずる思いすべてを強くする」。教会が広がっていこうとするとき、それは国内であれ海外であれ、この言葉は真実であるとフォーサイス博士は語っていた。

マンチェスター

1885年、フォーサイス博士はマンチェスターのチーサム・ヒルに転任した。不思議なことに博士は、直接あるいは間接に、三度も「ピクトン氏の後任」となった。ロンドン郊外のハクニーでピクトン氏の後任として奉職したフォーサイス博士は、チーサム・ヒルに転任したのだが、この教会はピクトン氏が開拓伝道をして始めた教会だった。そしてその後フォーサイス博士はレスターの教会へ転任するが、そこで新しい教会形成を開始した際、中心メンバーとなっていったのは、かつてピクトン氏が集め組織してきた人々だったのである。そのように「教会を移ってくる人々」について「思うところなしとはしない」としながらも「そうした人々との間になんの難しさも感じませんでした」とフォーサイス博士は回顧した。マンチェスターでの日々も、博士にとっては本当に喜びに満ちたものとなったという。そこには社会的な事柄に寄せる共通の関心があり、この大都市で生きる人々の熱意ある生活を楽しむ同じ思いが共有されていた。ロンドンのナショナル・ギャラリーで先ほど開催されたものと同様の展覧会が、当時、マンチェスターで開催された。二週間にわたって開催されたその展覧会は、博士にとって芸術を学ぶよい機会となった。フォーサイス博士は、たびたび展覧会会場へ足を運び、現代絵画の素晴らしいコレクションを見て学んだ。そこにはロセッティ〔Dante Gabriel Rossetti, 1828-1882〕やバーン＝ジョーンズ〔Edward Coley Burne-Jones, 1st Baronet, 1833-1898〕、ウォッツ〔George Frederic Watts, 1817-1904〕やホルマン・ハント〔William Holman Hunt, 1827-1910〕の最高級の作品が展示されていた。そこで博士が獲得した知見は『現代芸術における宗教』という書籍にまとめられ、1889年にマンチェスターの出版社から発刊された。その本の中に納められたのは、博士が教会の会員や地域の人々に行った解説と講義であった。その本の冒頭に掲げられたその献辞は、その当時の博士の家族のうちでは最も高齢となった博士の母親に向けられたものだった。博士は次の言葉を、自分の最初の作品の冒頭にラテン語で記した。

Matri Primogentius Meas Literarum Primitias D. D. D.（我ガ最初ノ書物ヲ　母へ　心ヲ込メテ）

この非常に興味深い書物は、画家と絵画について論述しているだけではなかった。フォーサイス博士はドイツのバイロトに赴きワーグナー〔Wilhelm Richard Wagner, 1813-1883〕のオペラ『パルジファル』に触れ、二章をかけて輝くようなワーグナー論と音楽論を著し、この書物に採録した。「ケンブリッヂの説教者」としてこの数年有名となった博士を知っているだけの人にとって、この本は驚くべき内容豊かなものとなっている。この本は画家のウォッツ氏を情熱豊かに称賛しており、そのことが機縁となって今も変わらない友情がこの画家と博士との間に続いている。そうしたことも、この本を読むと、なるほどと納得させられる。フォーサイス博士の視点は、その章題に結晶している。

「ロセッティ：自然の情熱という宗教」
「バーン＝ジョーンズ：自然を越えた想像という宗教」
「ウォッツ：自然を超越した希望という宗教」
「ホルマン・ハント：霊的信仰という宗教」

ラスキン［John Ruskin, 1819-1900］が著した『イングランドの美術』という書物を、ここで思い出すことができるかもしれない。その書物においてラスキンは、フォーサイスと同様、ロセッティ、バーン＝ジョーンズ、ウォッツそしてホルマン・ハントを取り上げ、賛辞を送っている。ラスキンの書物『イングランドの美術』を膝の上に置き、このフォーサイスの書物と引き比べて読むなら、きっと、素晴らしい読書の時を得られるだろう。とりわけ、バーン＝ジョーンズについての議論は、両者の対比を際立たせ、読者を魅了することだろう［拙著『ポスト・フクシマの神学とフォーサイスの贖罪論』七一ページ以下を参照］。

実は、『現代芸術における宗教』より以前に、フォーサイス博士はその議論を印字して公開している。『マンチェスター・イグザミナー』紙の「ヴェラックス（Verax）」という筆名で名高いダンクレイ博士［Henry Dunckley, 1823-1896］は、「パブリコーラ（Publicola）」という筆名で発表したフォーサイス博士の文章を読んで喜び、連載を続けるように依頼をしていた。それで、「ヴェラックス」の名のもとに書かれた記事と並んで、政治的・社会的議論を「パブリコーラ」の名のもとにフォーサイス博士は発表し続けた。１８８５年から１８８９年まで、この二人の連載は続いたのである。このころマンチェスターの牧師たちは、しばしば聞こえてくる市井の演説台の声に耳を傾けなければならないものだった。

ここでフォーサイス博士の最初の本について触れなければならない。博士の最初の本は、子どもたちへの説教をまとめたもので、シプリーの教会で語られたものだった。しかしその本は今や絶版となっている。同じヨークシャーのサルタイアーにフォーサイス博士の友人であるハミルトン氏がおり、二人の説教をまとめて一冊の本として出版したのだった。このハミルトン氏は現在、英国コーンウェル地方のペンザンスで牧師をしている。今でも博士の良い友人で、『現代芸術における宗教』出版に際しては校正を手伝った仲である。子どもたちへの説教者として、フォーサイス博士は諸教会にもっと知られるべきだと思う。バーミンガムのヴォーン氏、あるいは故コックス博士、そしてテーンマスのショアー大司教のように、子どもたちに説教をすることができる牧師が、今、ロンドンで必要とされている。もしフォーサイス博士がロンドンに着任したら、きっと、ロンドンの子どもたちは「ハクニー・カッレッヂの校長先生」と出会って「新しい友達ができた」と思うようになるのではないか……そんな期待が、どうしても膨らんでくるように思われてならない。

その後、フォーサイス博士はレスターに転任した。そこでの活動はあまりここに書き記す必要はないだろう。レスターで博士は社会的な活動に忙殺された。自身が牧したクラレンドン・パーク教会について、博士は少しふざけて「首長たちの巣」と呼んだ。教会の役員のほとんどが、この地域の市長や町長の経験者たちだったからだ。

1894年にレスターからケンブリッヂに転任すると決まった時、博士はとてもつらい状況に置かれていた。家族のことで、いくつもの苦労があったのだ。フォーサイス夫人は長く患っており、ケンブリッヂ転任の一週間後、ついに息を引き取った。フォーサイス博士自身も着任後2年間近く、神経を病み、執務は深刻に滞ることになった。今でも、博士はまだ完全に回復したとはいえない。それでもその健康は徐々に改善している。博士の友人は、そう遠くなく、博士はかつてのように元気になるだろうと信じている。3年前、博士は再婚した。そのことで、博士の家庭は完全に幸せなものとなった。牧師館があったニューハム・テラス4番地は、その時、どこよりも楽しく明るい場所となった。そこには最も活動的な非国教徒の集まりがあり、そこに集う人々の中に学問がない人はごくわずかで、ニューナムとギルトンを含む様々なカレッヂの大学生・大学院生が雑多にまじりあっていた。

フォーサイス博士の娘はニューナム・カレッヂの学生だった。ヒューズ女史［Elizabeth Phillips Hughes, 1851-1925］がケンブリッヂ・トレーニング・カレッヂの校長を辞任した時、このニューハム・テラスにあった愉快な集まりは、ずいぶん寂しくなった［その後、ヒューズは渡米後に来日し1年3か月滞在、多くの講演を行い会議に出席し日本の教育に多大な影響を残した］。しかしそれでも、会衆派教会の牧師館であるフォーサイスの家には、長老派教会の教授たちとの出会いが「掘り出し物」のように、いつもあった。リヴァプールのデール校長［Robert William Dale, 1829-1895］は、その晩年、ケンブリッヂに滞在する期間はいつも、フォーサイスの教会の役員を務めていた。コートニー・ケニー博士はその教会の礼拝にいつも出席していた。私が先日この教会の日曜日の礼拝に出席したとき、そこにはあまりにもたくさんの学者たちの姿があり、その一人ずつの名前を覚えようとしたが諦めたほどであった。

フォーサイス博士の書斎はやや小さく、本でいっぱいだった。書棚にはドイツ語の書籍が多く見受けられ、私は「これがハクニー・カレッヂに並ぶのか」と心が躍った。象嵌《ぞうがん》の立派な机があったけれど、いつも、膝にのせて書き物をするためのライティング・ボードをそばに置いていた。博士の部屋には、いつも博士と一緒に学ぶ居候がいた。その名を「クローティ」という黒猫だ。リッチュルやモーリスについて、あるいは自分の飼い主と同じように詳しいような顔をして、博士が座っている大きな椅子に滑りこみ、その部屋にいる人の腕の下でつぶれそうになりながら、何かの計画を練って過ごしていた。

昨年一年間、フォーサイス博士はしばしばケンブリッジ以外の各地で奉仕し、健康回復のための工夫を模索していた。最初に述べた通り、博士はこの間、ロンドンとリバプールの自由教会宣教団に熱心に参加してきた。その肝心の宣教・牧会についていえば、いくつかの重要な点で、博士の経験は、他のほとんどの同僚たちと異なっていた。「二つのはっきり違う宣教・牧会活動があります」と博士は言った。「一方には、教会に会員として登録し、教会の談話室に集うようになった教会員に向けた宣教・牧会活動がありますね。もう片方には、そうしたことにまったくかかわりがない人に向けた宣教・牧会活動があるのです。」リバプールのハイゲイトとセフトン・パークの教会で奉仕したときに、博士は「談話室」ではないところで執務することを好んだ。

博士はこう語る。「教会に足を運ばなくなった人々が相当程度います。その人々には、宣教・牧会の手は届いていません。他方で、スコットランドでは『教会の支援者』と呼ばれる人々がいます。教会にはかかわりを持っているけれど、教会員ではない、という人々です。そういう人たちの間で、素晴らしい働きが展開しています。」「教会の最良の果実は小さな村落で見いだされるのかもしれません」とフォーサイス博士は考えて、次のような事例を紹介した。「ある小さな村がありました。その村の教会では、会議をして、すぐ50人の新規会員が入会しました。」都市郊外の現状は、固い土に種をまいているかのようで、まったく展望が立たない。会員数から見る教勢拡大ということでいえば、その成長は静かなもので、もうしばらく結果を見るのに時間がかかるだろう。

他方で、ケンブリッジの市庁舎ではホーン氏〔Charles Silvester Horne, 1865-1914〕が成功裏に教会形成を進めていた。そうした背景にあるその説教から学ぼうと、若い教会関係者がフォーサイス博士を招いて学習会をしていた。博士はその要請に応え、土曜日ごとにリヴァプールに赴いた。たとえば「イアン・マクラーレン」というペンネームで知られる牧師〔John Watson, 1850-1907〕が、その学習会に毎回参加していた。彼は自らが「宣教者・牧会者」として専心奉職するにあたり、フォーサイスの誠意ある働きを思い「感謝してもしきれない」と語っていた。

聖なる父

——初出　"The Holy Father," *Christrian World Pulpit*, v. 50, 7th Oct. Nov. 1896, pp. 225-229.
翻訳に当たってはNEW CREATION PUBLICATIONS INC の１９８７年版を用いた。

1896年レスターで開催されたイングランド・ウェールズ会衆派連盟定期総会でフォーサイスが行った説教。聖書箇所はヨハネ伝17章2節。

旧約聖書「詩編」103編13節に

主《しゅ》の己《おのれ》をおそるる者をあはれみたまふことは
父がその子をあはれむが如《ごと》し（父がその子を憐れむように主は主を畏れる人を憐れんでくださる。新共同訳）

とあります。この言葉は、私たちの胸に自然としみこむように思われます。イスラエルの人々の魂に映る幻が輝きを増し、その時代精神の限界をすら乗り超えて、ついに私たちのところにまで届き伝わる。そんなことが、例えばこの中に見て取れる気がします。

この言葉は卓越した個人によって発せられました。しかし、それはその作者の天才をも超えて輝いています。イスラエルの人々が獲得した「契約の神」という理解からさらに高みへと進み、「父なる神」という理解へと到達しているのです。

この一言の中に、霊感に導かれた人の魂の奥底にある豊かな泉が見て取れます。実に神は、この世界の最初から、そしてこの世界の終わりに至るまで、同じ一つのメッセージを語りかけておられます。そのメッセージの中へと、時が満ちるようにして、この詩編の言葉が結実しているのです。

そのメッセージは一つの音楽となって永遠に響き、そこに込められた思いはいつまでも冷めない熱情となってキリストの内に鼓動しています。そこには終わりのない憐れみがあり、尽きない約束があり、永続する力がみなぎっている。その憐れみは熱心にあなたを探し続けています。愛によってあなたを包み引き上げる約束があるのです。そして、疲れを知らない力が、あなたに平和を届けるのです。

しかし、それだけではありません。

至高の憐みと優しさを自らのうちに満たしておられる神を「父」と呼び親しむ。そこに、神の憐れみと優しさをも超える高さと深さがあります。神は聖なる［特別な］父です。神は私たちを、代価を払ってご自身のもとに引き戻してくださる方です。実に、私たちが神の側に引き戻され神の子とされています。この事実の中に、神が「私たちの父」であり「特別な方」であることの秘密が隠されています。

神は私たちから隔絶した特別の存在・聖なる存在です。でも不思議なことに、そのことが私たちと神との間を隔てることはありません。

主《しゅ》わが神わが聖者《せいしゃ》よ　汝は永遠より在《いま》すに非《あら》ずや
我らは死なじ　主《しゅ》よ汝は是《これ》を審判《さばき》のために設けたまへり
磐《いは》よ汝は是《これ》を懲戒《こらしめ》のために立《たて》たまへり
（主よ、あなたは永遠の昔から　わが神、わが聖なる方ではありませんか。我々は死ぬことはありません。主よ、あなたは我々を裁くために　彼らを備えられた。岩なる神よ、あなたは我々を懲らしめるため　彼らを立てられた。新共同訳）

と、旧約聖書「ハバクク書」1章12節にある通りです。

神は人間の弱さを憐れむ父としてイメージされるでしょう。でも、それにとどまるものではありません。人間の罪に恵みをもって臨む父、それが神なのです。さらにその本質を言えば、私たちの主イエス・キリストに御顔を向けて聖なる喜びを示される「父なる神」こそ、私たちの神なのです。

新約聖書の示す神の名は何でしょうか。その名が示すイメージはどんなものでしょうか。それは単なる「私たちの御父」ではありません。そうではなくて「私たちの主、救い主イエス・キリストの父なる神」です。キリストご自身の祈りは「聖なる父」という言葉に凝縮しています。この一言に、キリストの中心思想があります。それが神を示すのです。実にキリストこそ、神を神としてそのままに知っておられた方でした。

十字架に新しい啓示があります。十字架の啓示は「神は愛である」ということを語ります。しかしそれにとどまりません。十字架の啓示は「神は聖なる父である」ということを語るのです。十字架の啓示にこそ、神の最も神らしい姿が表れています。神の最も神らしい姿。それはキリストに向かって現れ、キリストの内に現れたものでした。

旧約聖書において神は「父」というイメージで語られています。それはしかし、他の宗教の中においても見られるものでした。詩編103編をご覧になれば、そこに「父なる神」という神の姿が語られていることを見出すでしょう。これ以上ないほど、より原初的でより柔らかな表現で、それは語られています。しかしそこにはいくつもの限界が見て取れます。例えば、確かに詩編103編は神を「父」としてイメージしています。しかしそれは、神ご自身によってそのように示されたのではないのです。それはただ、私たちの持つイメージを神にかぶせて語られたものです。

確かに詩編103編は神を「父のような」存在だと表現しています。しかし「神は父なのだ」とまでは、なかなか言い切れないようです。また、神はただ「イスラエルの父」としてイメージされています。だから、「主は主を畏れる人を憐れんでくださる」という時、それは「神はイスラエルを憐れんでくださる」というだけの意味になってしまうのです。ここに、旧約聖書の限界があります。

さらに、それだけではありません。最も重大な限界は次の点にあります。つまり、この「父」というイメージを語る詩人は、まだ福音の喜びを知らないのです。まだこの「父」という概念には、「聖性」も「罪」も「犠牲」も「贖い」も、つなげられていません。この詩人が語る「父」という概念には、ただ「弱さ」がつなげられているだけなのです。

「父の憐み」としてイメージされる神の愛は、ここではまだ、詩編103編全体に示唆されている人間の弱さ・はかなさに結び付けられているにすぎません。ここにはまだ、人間の悪が十分に意識されていない。この詩編103編は本来「ゆるし」を主題としていたはずでした。しかしそれはまだ、十分には表現されていないのです。

旧約聖書の限界はここにあらわです。旧約聖書が語る「父のような神」は、代償を求めません。また、犠牲を払いません。これは新約聖書と対照的です。新約聖書の語る神、つまり「聖なる父」という神は、ゆるしの代償を求め、そしてご自身でその犠牲を引き受ける神として表現されているのです。

実に「聖なる神」というイメージは重要です。その中に埋め込まれている「聖」という概念の中にこそ、「愛」も「父」も「贖い」も、その根を張っているのです。

今日の［ヴィクトリア時代の英国に住む］私たちにとって、倫理的水準を問うことこそ、何にもまして大切なこととなりつつあります。それは日常生活における倫理的水準ということだけではありません。神学的な意味での倫理的水準も、そうなのです。

そのことは、歓迎すべきことなのでしょう。こうした時代の流れに乗って、倫理的水準を超えて、真に精神的・霊的な水準についてまじめに考えるようになっていけると思うのです。

そうして私たちは、神の聖性に根差すことができるのでしょう。この聖性とは、神の完全さのことであり、神の霊の永遠性のことです。神だけがご自身を律せられ、そして世界の中心にあって万物を動かします。そのことを指して聖性と言います。私たちはそうした神の聖性の中に基盤を持つようになれるのでしょうか――倫理的水準を考えそれを突き詰める、ということは、つまり、そういう問いに向き合うことだと思うのです。

社会的配分を公平にすることに、私たちはあまりにも多くの思いを向けてきました。でもその結果、私たちは神をこの世界の裁判長としてしまいつつあるようです。また、それへの反動が生まれ、締まりのない甘すぎる愛を神に求める方向へと進む向きもあります。

実に、神の聖性という概念は私たちの助けとなります。私たちはこの概念によって、霊的にも人格的にも一定水準を超えて引き上げられ、「父性的聖性」とでもいうべきものへと進むことができるのです。それは「聖なる御子」の内において満足を得るもので、それは神の御業そのものであり、神の真の魂そのものでもあります。

「聖なる父」は、聖なる特別な方です。そして、聖なる父の第一の関心事項は「聖性」にあります。

人を贖い保護し救うために第一に必要とされるのは、十全なるこの聖性です。聖なる御父こそ、贖罪をなす方であり、必ず贖い保護し救う方なのです。キリストご自身の光の内に照らしてみる時、贖罪は新しい栄光をまとうことになります。この新しい栄光が、御父《みちち》の聖性から悲痛な響きを湛《たた》えながら流れ出て、賛美の内に流れ戻る、その様子を、私たちは贖罪のドラマとして見るのです。

神は犠牲を求められます。犠牲は、第三者が神に供するものではありません。「だれが、まず主に与えて、その報いを受けるであろうか」［ローマ人への手紙11章35節］とある通りです。神ご自身が、その御子において、犠牲を供されるのです。それは「どこかにある何かの力」にささげられるものではありません。犠牲はただ、ご自身の聖なる本性とその正義に向けてささげられるのです。

たとえ十字架であっても、それによって「神の父性」が聖なるものとされるのではありません。ただ、神の聖性だけが、必要を満たす全てなのです。罪の贖いは、愛によってのみなされます。「神が愛であるなら、なぜ、贖罪を求めるのか？」と聞く人がいます。それは間違った問いです。新約聖書はこう語っているのです。「神は犠牲を払って私たちを贖い保護してくださった！　何という愛だろうか！」と。

救い主がもたらしてくださる聖なる神は、強い情熱をもって私たちに臨みます。それは、罪を贖い救おうという情熱なのです。

こうしたことすべてが、そしてさらにもっと大いなることが、「聖なる父」という言葉の中に言い表されています。まさにこの「聖なる父」という名前こそ、この世界で聞ける神の究極の聖名《みな》なのです。

今日、教会は「神の愛」ということについて、素晴らしい感性を獲得しました。今、教会はそこから進んでさらに大いなることを獲得すべきです。つまり「聖性」を獲得しなければなりません。それは具体的には「愛」となります。それはまさに、分かち合おうとする情熱そのものなのです。

愛の裏面へと潜《くぐ》り抜けて、聖性に到達することができます。ただ、その逆は不可能です。聖性は、焼き尽くす炎《ほのお》なのです［ヘブライ人への手紙12：29 わたしたちの神は、焼き尽くす火です。新共同訳］。

受肉を信じるとはどういうことなのでしょうか。それはつまり、神と人にとって聖性こそが究極のものであり、中心であり、至高のものであることを信じることです。愛を通って聖性へと進むことはありません。ただ、愛へと進めるのは、聖性に支えられて初めて可能となります。神の国の到来を目指して、私たちは皆、熱く燃えることもあるでしょう。しかし、それより先に神に願い求めることがあるのです。神の国が到来するために、ひとつの準備が必要なのです。それは「御名をあがめさせたまえ」という祈りに表された願いです。キリストの死において、神の聖名はあがめられるのです。キリストの死が、神の国に輪郭を与えるのです。

「主の祈り」の第一と第二の願いを逆にしてしまいかねないのが、現代的な問題です。「御国を来たらせたまえ」は、最初の祈願ではない。御国は、ただ、神の聖性が完全な形で現れるときに、やって来る。御国が神の聖性を生み出すのではないのです。「神は愛である」という言葉は、福音の全部を示しません。聖なる法が取り扱われるまでは、福音的な愛は存在し得ないのです。ノアに示された契約の虹がまずあって、その直中にこそ、玉座があるのです。

何かを聖別して御父に捧げ、献身を示すこともあるでしょう。しかしそれは、「神の聖性」を十分真剣なものとしているとは限りません。十字架に、神の父性は明らかに示されました。神の聖性は、十字架に示された「神の父性」において、明らかにされました。しかし、そこに示されたのは、恐ろしいものであり、無尽蔵のものであり、永遠のものでした。それは救いにふさわしく、裁きに満ち溢れているものです。

「父なる神」という神の名について、重視しすぎるということはないでしょう。この神の名は、キリスト教が示す神聖さの総体であり、真髄なのです。「父なる神」という神の名は、人間が知りうる「父性」を純化し精神化したものを、はるかに凌駕《りょうが》しています。

十字架を鍵として、「父なる神」という神の名を解釈してみてください。その時、人間の知りうる言葉をはるかに超えた意味を見出すことになるでしょう。実に、私たちは「父なる神」という神の名を、しばしば矮小化《わいしょうか》してしまいがちなものです。

実際、この「父なる神」という神の名の意義が十分に示されたのは、古来、ただ一度だけでした。それはキリストの信仰と御業において示されたのです。「父よ、彼らをゆるしたまえ」と、キリストは十字架で叫ばれました。「父よ」と呼ぶ、そこには、キリストの信仰が表れています。「ゆるしたまえ」と求める、そこにキリストの御業が表れています。「父なる神」という神の名は、聖なるゆるしの内に、その神聖なる魂を持つのです。

これこそ、福音です。聖なる神に対して供儀によって罪を贖う恵みの御業。それは人間に対してなされる奉仕の内に完全に示される愛をすら超える大いなる御業です。

この真理を正しい形で示し、力を再び持たせてみましょう。あるべき位置にこの信仰を戻してみましょう。そうしたら、私たちの説教には情熱が復興してくることでしょう。私たちの慈善事業には荘厳さが与えられることでしょう。私たちの内には力がみなぎることでしょう。道徳は力を得て敬虔の心を強くすることでしょう。

私たちの敬虔の心はあまりにも弱く、活力にあふれる情熱を御することができずにいます。今日の宗教には、権威が欠けているのです。必要とされる権威はただ、十字架においてだけ見出されます。他のところには見つけられません。聖なる神がお求めになる事柄に応じる十字架には、本物の権威が宿っているのです。

「父なる神」という神の名をあまりにも小さく扱っているのが私たちです。それは、私たちがこの神の名を人間的な「父性」の下におき、その水準を超えることができない結果なのです。

I

神を人間的な「父」の水準以下のものとして考えると、いったいどうなるのでしょうか。つまり、神を「父」としては考えないとしたら、どうなるでしょうか。この誤りを理論的に（つまり、神学的に）犯している人は少ないのです。しかし、実際にはそのように考えてしまっている人は実に多いのです。

多くの人が実際に持っている神観とは、どんなものでしょうか。それは「父のような」神を口々に語りながら、結局「父」として神を絶対に見ない、というものです。多くの人は「現実の経験の中で自らの宗教性に影響を与える存在」として、神を見ていません。あるいは「自らの魂の色合いを変えてしまう存在」として、神を見ていない。「微妙に揺れ動く自分の考え方そのものとなる存在」として、神を見ていない。「自分の秘められた心を助け支える存在」として、神を見ていない。つまり、神を「父」として見ていないのです。

多くの人が、神を「力」「審判」「王」「ある種の摂理」として取り扱っています。つまり、神は統治者にすぎないのです。

自分の人生の中心に神を置き、その魂が経験する時々刻々の出来事の中で自らが神の子であることを自覚する、そんな人は少ないようです。その心と意志を整えて、自らが神の子であることを自覚する人は、少ないようです。

クリスチャンは、ほとんど皆、少しは世俗から距離を取っていることでしょう。しかし、そのほとんどが、自分が神の子であると思っていません。

それはちょうど、ペンテコステ以前の、ユダヤ教徒として生きていた使徒たちのようです。つまり、キリストを受け入れてはいても聖霊をまだ受け入れていない状態にあるということです。神の子とはなっておらず、ただ、神の子となる力を受けただけの状態なのです。「父なる神」という光は十字架を通じて光り輝いているはずなのですが、まだその光が届いていない人が多い。その光は人をして天の国に至らせるものなのですが、その恵みに浴した人は少ないのです。

世界には非常に多くの宗教があります。その多くは現実的で実際的な力を持っていると思います。しかし、それが人を「神の子」とするには至っていません。世界中の宗教は、程度の差はあれ、熱心で活動的で、共感に満ちたものです。あるいはカトリック的であろうし、プロテスタント的でもあるでしょう。それらは神の国の建設に熱心で、神の御心の一部でも実現しようと試みています。

宗教が生み出す博愛事業［救貧活動や教育・福祉・医療など］は、自己を犠牲にして深化して行くかもしれません。ただ、それが制度に支えられただけの、あるいは流行に乗った、そしてついには「心を失った慈愛」に堕することもあります。ディケンズが『ニコラス・クリスビー』で「片目のスクィアズ校長」という偽善者を登場させていましたが、あのキャラクターのように上辺だけの慈善に至ってしまうこともあるのです。

結局のところ、それは「神の意志とその支配の中心と全体」あるいは「父なる神とその御子イエス・キリストとの親しい交わり」が、実体験として十分に咀嚼《そしゃく》されていないことの結果です（そして、それはまさに、説教者がそれぞれ自分自身のこととしてこれを白状しなければならないことなのです）。

御心をなそうとする真実の思いは、常にまず、その御心への信頼に端緒をもつもののはずです。聖書にも、こう書いてあるではありませんか「御子イエス・キリストを信じるべきであること。これこそ神の意志である。」［第一テサロニケ5章18節を一部改変］と。

「私たちが互いに愛し合うこと」、これこそが御子の定めた掟です。真に愛することが求められています。それは決して、愛することを体現した人に触発されて何かをすることでありません。ただし、このことについては、幸いにもこれ以上詳論する必要はないようにも思われます。

「父」という言葉で私たちは何を考えるでしょう。もし自然に考え付く限りの意味をもって「父なる神」ということを考えているなら、そこには事柄の矮小化が起こっています。「父」という言葉、あるいはそれに類するあらゆる概念を持ってきたとしても、神がご自身を啓示された内容を示すには足りません。「父」という言葉は一つの表現に過ぎないのです。それ自身が啓示なのではありません。啓示は、ひとりの御子、そしてその十字架にあります。そこに示されるものは、この世界から見れば真《しん》に超自然的なものなのです。

言い換えてみましょう。もし「愛」を超えて「恩恵」へと進まないなら、その時「父なる神」を矮小化していることになるのです。「愛を超えた恩恵」。それはつまり聖なる愛ということです。憎悪の犠牲になりつつ、それを贖い保護し、救い出すことを意味しています。

真の超自然とは、奇跡以上のものです。奇跡が存在する理由そのものが指し示すところに、真の超自然があります。それは、自然界に存在する不思議現象のことではありません。歴史の中に現れる神の恩恵こそが、真の超自然です。それは、自然の法則と直接の関係を持ちません。奇跡とは、科学的な概念ではなく、宗教的概念です。ある出来事が奇跡だ、と言う場合、その出来事は法則との関係ではなく、恩恵との関係で語られる事柄となります。「受肉」こそ、まさに奇跡だと思われているでしょう。しかし、イエスは、現実に、この世界・この自然の領域に、おいでになったのです。超自然といわれる領域の中に奇跡があるのではなく、歴史の中に、奇跡があるのです。ここで歴史という言葉を使いますが、それは「出来事の連鎖」のことを言っているのではありません。そうではなくて「魂あるいは人類の霊的履歴」のことを言っているのです。その意味での「歴史」の中に、奇跡があるのです。

超自然は人の意志の上に臨む神の意志の働きの中にあります。自然法則の中には、超自然は存在しないのです。超自然とは、人間の罪の上に臨む神の恩恵の業です。

この世界の奇跡とは何でしょうか。それは神がその子どもたちを愛するということではありません。あるいは、神がその放蕩息子を愛するということでもないのです。イエスが言った通り「徴税人だって、そのようにする」ではありませんか。

そうではないのです。この世界の奇跡とは、神がその敵を愛し、ゆるし、贖う、ということなのです。神の心が動き、神ご自身の本性にかけて、その敵のために贖罪の業を行うことを、奇跡といいます。奇跡とは、神が苦しみを清めることを意味します。そこで清められるのは、神の敵が受けるべき苦しみのすべてです。神の敵が受けるべき、その想像することもできないほどの大きな苦しみを、神が自ら引き受け清め給う。神の敵の本源的罪とそれへの裁きを用いて、神が罪をその深奥から破壊する。これがつまりこの世界に起こる奇跡ということなのです。

これこそ、自然法則のいかんにかかわりのない、正真正銘の奇跡です。私たちが神について語る時に使う「父」という言葉の意味は、この奇跡の中にあります。聖性こそ、「父」という言葉の命であり、真意であり、秘密です。この意味における神の「父性」こそ、唯一の神秘であり奇跡なのです。自然世界にとって、この神の「父性」は全く特殊なもので、ありえないもので、埒外《らちがい》のものです。すべての事柄の中で、これは全く異常なことです。

ここには衝突と征服と啓示があります。この不思議を感得させる霊の助けを受けて、人は初めて、これを信じることができるようになります。これこそ、十字架において示される「父なる神」なのです。恩恵はここにあります。ここにある恩恵とは、父なる神が示すものです。この恩恵によって、贖罪の業が獲得されるのです。

私たちと「聖なる父」の間には、私たちと「この世の父」すべてとの間に存在しないはずの〝何か〟がある。その〝何か〟とは、何でしょうか。それは罪であり、地獄であり、呪いであり、そして怒りです。神の怒りと呪いは、罪にだけ臨むのではありません。魂にも臨むのです。もちろん、この教理が見えなくなるように神学を作り変えることもできるでしょう。しかし、この「神の怒りと呪い」を消し去ることは、不可能です。進歩は素晴らしい香水のように私たちを酔わせます。しかしその香水の香りをもってしても、「神の怒りと呪い」をかき消すことはできません。「神の怒りと呪い」を巡る様々なリアリティーは、魂の歴史の中に存在し続け、そして魂の未来の中へと残り続けるのですから。「神の呪いと怒り」は、私たちの周りにいつもある。なぜなら、聖なる神が私たちを見捨て給わないからです。実に神の恩恵は、「天の猟犬」［フランシス・トンプソンが1893年に発表した宗教詩］に描かれた通り、どこまでも私たちを追いかけてくるのです。神の聖性は「神の呪いと怒り」として機能します。そして、神の聖性こそ、愛そのものが持っている希望の土台となります。

私たちは生来の父親・この世の父に「罪を犯す」ということはありません。またそれはできないのです。どんなに悪くても、私たちはせいぜい父親に虐待を加える程度のことしかできません。「罪」とは本来、生来の事柄とは無関係なものです。それは自然の中にある関係性や自然に生まれる愛情とも、かかわりがありません。自然の中には、聖なるものは存在しないのですが、その聖なるものが、罪を罪たらしめます。

「放蕩息子」のたとえを思い出してみましょう。あの「弟息子」は、「その父」に対して罪を犯したのではありませんでした。そしてさらに大切なことに、あの「弟息子」がしたことは、罪への対応として充分なものでもありませんでした。実際、「弟息子」はこう言っていました。「父よ、わたしは天に対しても、あなたに向かっても、罪を犯しました。」［Darby Bibleによる新約聖書「ルカ福音書」15章21節。ギリシア語の当該箇所も、直訳するとこの通りである］――天に対して、彼は罪を犯した。そして、父親の前で、彼は罪を犯した。そう書かれているのです。

私たちが持っている福音の豊かさは、たとえこの興味深いたとえ話であっても、その中に納まりません。そもそも、キリスト教は贖い保護し救う宗教です。この「放蕩息子のたとえ話」の中には、贖い保護し救い出すことは、示されていません。ただそこには「ゆるし」が示されているだけなのです。「ゆるし」だけですべて、となるなら、福音書はキリスト（救い主）抜きでも成立することになるでしょう。実に、放蕩息子の物語にキリストは登場しないのですから。放蕩息子の物語は、登場人物である「父」を「聖なる父」として提示してはいないのです。そこにはただ、善良で忍耐強く、賢明で無限に優しい父——自然に存在する「父」をズームアップしたキャラクターが、提示されています。それは神の全体像を表象していません。神の恩恵の全体をすら示していません。聖なる神にとってその恩恵がいかに高価であるか、その「コスト」を、このキャラクターは全く体現していないのです。ただそこには、恩恵が全く無償で与えられることだけが示されています。神とは、世界の道徳秩序、歴史の命運、人類の道徳的魂、人類の未来、そして聖なる永遠の法を、その一身に引き受ける存在です。そうした神の姿は、この物語の中に表されていないのです。

この物語に出てくる「父」は、人格的悲嘆を示し、傷めつけられた愛情を示している。ただそれだけです。そこに示されているのは個人的事柄です。しかし、贖い保護し救う神の業は個人的事柄ではありません。この物語には、父親とその息子という二人の個人の間に起こる出会いの出来事が示されています。しかし、贖い保護し救う神の業は、そういうものではないのです。贖い保護し救う神の業は、世界大の事柄なのです。そのスケールを失っては、魂は救われることもできず、浄められることもできません。贖い保護し救う、そのために、罪はどうしても破壊されなければならず、世界は改めて組み立てられなければなりません。しかし、そうした事柄、つまり「罪の世界」や「人類の罪深さ」を神がどう取り扱うのかについては、放蕩息子の物語の中で表現されていないのです。また、この物語の中で、父は、悔悟《かいご》の念を呼び起こす反省を一切求めてもいません。

さらに、放蕩息子の物語の全体を見ていると、疑問がわいてきます。

そもそも、この物語は、もう一人の登場人物である「兄息子」をこそ、その中心人物としていなかったでしょうか。その終盤にこそ、この物語の重心があるのではないでしょうか。この「弟息子」を巡る麗しいエピソードは、「兄息子」を巡る中心的エピソードの背景としてのみ、語られているのではないでしょうか。

忍耐強く待ち、喜んで与える、無限の愛——そのようなイメージをもって「父なる神」を考えるとすれば、神についての過剰な矮小化が生まれるばかりです。まるでファウストのように「善行とはつまり懺悔《ざんげ》だ」とし、「懺悔とはつまり贖罪《しょくざい》だ」とし、そして罪の告白を鋭意遮って「もうそのことについては語らないようにしよう、そのことを気にしないように祈ろう、過去は過去なのだから」と語る。そんなものが「愛」であるかどうか、私には定かではありませんが、とにかく、「父なる神」という神の名には、そうしたものをはるかに超えた何かが含意されているのです。

ゆるしとは何か。あるいは人類に対する父性とは、端的に言って、どんなものなのでしょうか。それは人生の1ページを消去したり、人生を新しく始めたり、同情を示して何かをゆるすことでしょうか。そういうものも、あるのかもしれません。しかし、それに留まるものではない。「神はすべてをみそなわす」として、そのすべてが神にゆるされるわけではないのです。「すべてを理解すること」が「すべてをゆるすこと」を意味するわけではありません。

今、ここでは、倫理一般を議論することを超えて、倫理学者やキリスト教神学者としての議論を展開してみましょう。

十字架に示された「父なる神」は、放蕩息子のたとえ話に示された「父」を超えています。前者は聖性が罪責と向きあい、後者は愛が恥辱《ちじょく》と向き合っています。放蕩息子を抱きしめた「父」に触れると、私たちの心は柔らかく溶けてゆくでしょう。しかし、十字架で御子を棄て去った「父なる神」に出会う時、私たちの魂は、それ以上の何かを感受するのです。


十字架において人類が傷つけたのは、感受性豊かな「父の愛」ではありません。そうではなくて、「神の聖なる法」を、人類は傷つけたのです。

人間は単なる脱走犯ではありません。反逆者なのです。哀れな臆病者ではありません。大胆不敵に暴動をもって抵抗しているのが人間です。モラリストとして、カントが言っていたではありませんか。「人の中には根深く悪がある」と。またカーライルは「人の中には呪うべきものが無限にある」と言っていたではありませんか。

欧州には多くの生きたメフィストフェレス［キリスト教の悪魔のひとつ。ゲーテの戯曲で有名なファウスト博士の伝説に登場する。］がいます。呪いに呪われ切ったスルタン［アブドル・ハミド二世。１９世紀末、断続的にアルメニア大虐殺を行ったオスマン帝国の皇帝］が体現した恐ろしさは、人類全体に及んでいます。「哀れな罪びと」という祈りの言葉に、浅薄な個人主義者はぎょっとして戸惑います。本来、この祈りの言葉を聞く時、それは公の礼拝において人類の罪を告白しているのだ、と気づくものです。しかし、貧弱な告白ばかりしている浅薄な個人主義者は、この言葉を前にひどい戸惑いを覚え、それを隠せずにいます。

ゆるし［forgiving］は単なる忘却［forgetting］ではありません。ゆるしとは、過去をキャンセルすることではないのです。単なる恩赦や回復でもありません。この世界は何か大きく壊れていて、その破損の中にある魂が、その罪によって世界を粉砕してしまう、という事態が、まずあるのです。魂とはかくも巨大なものなのです。だから、その堕落もまた巨大なものとなる。「正義のローブには縫い目が無い」といいます。人をして人たらしむる道徳秩序は普遍不朽であるといいます。それはみな、この「人間の魂の偉大さ」を反映してのことなのです。

神の聖性は、どこかで、誰かによって、勘定をつけねばならないものです。なぜなら、それが父性の尊厳と人間の魂の尊厳を保証しているのですから。単純で抹消されず返済されないままに放置される負債もありましょう。しかし、そうできないものもあるのです。霊的秩序こそ、まさにそうしたものです。その秩序によって、人類とその未来は保証されているのです。聖なる法は、追い払うこともできないのですが、かといってそれが求めることを成し遂げることもできないものです。聖なる法を、かつてのように先延ばしにして済ますことは、もう神にはできないのです。常に神がそうしているように「聖なる法を公布して済ます」ということも、もはやできません。神の永遠の本性から言って、聖なる法は不滅の要求をもってこの世界に迫ります。神がこの世界を贖い保護し救うはずであるなら、神は正当な仕方で、どこかにその聖なる法を実現しなければならないのです。つまり、その聖なる法に基づいて裁きが行われなければならない。その裁きが執行されることで、聖なる法は力を得ます。そうすることがつまり、父性が普遍であり永遠であることの不可欠の要素となります。そのようにして、神の愛も流れ出るのです。聖なる法の執行は、救い主の上に下った呪いの苦しみとして、具体化しました。しかしそれだけではありません。

呪いの苦しみを越えて、それは聖なる裁きとなりました。その時、聖なる父は、この世の罪を、ある活きた精神世界において（その中ではなく）取り扱ったのです。キリストにおいて、神は罪を裁き給うた。それはまさに、聖なる父が、聖なるが故をもって、ただその故にのみ、刑罰を求め給うたのと、同じことでした。神は十字架において、罪の裁きと、神の聖性の確保と、その二つを一つにし給いました。かくして神の聖なる法は焦点を得、結実したのです。盲目的で、不機嫌そうに、怒りを覚えながら、罪びとは悲惨と死を背負い担っています。その悲惨と死は、今ここに、聖なる神についての理解と共に、理解されます。神が見ているように、罪が見えてくる。裁きは神の裁きとして了解される。その時、裁きは聖なる・父性にふさわしい・正しく良いものとして、世界の前で、担われ、所有され、栄光に輝くことになります。罪がもたらす破滅・刑罰・苦痛のただなかで、聖性に対する聖性の最終的証言がなされます。それは、御子の内で、神の思いが変わるのではなく、危機と裁きの故に、世界に対する神の関係が永遠に変わることによって示されるのです。

神がゆるすということは、人間がゆるすというよりも、より容易なことであり、また同時に、より困難なことです。神は聖なる存在であり、神は罪の痛みを感じる。従って神にとってゆるすことは困難です。他方、神は聖なる存在であり道徳的力に満ちておられる。従って神にとってゆるすことは容易である。神にとって、ゆるしはたやすく、しかし困難なのです。このように、神のゆるしは、私たちの理解を超越したものとなります。

ゆるしは犠牲を含み持ちます。その犠牲の値は罪以上のもので、魂が支払い得る限度を超えています。罪は着実に聖なる感性を麻痺《まひ》させます。罪を贖うためには犠牲が必要ですが、その犠牲そのものをすら、罪は壊死《えし》させてしまいます。

もし人がその犠牲によって、あるいはその懺悔によって、人間が破壊した道徳秩序を取り繕《つくろ》うことができるなら、その道徳秩序に従う必要は、もはや人間の側にはないことになるでしょう。つまり、道徳秩序は人間にとって、もはや至高のものでも従うべきものでもないことになります。もし私たちが自分自身の良心を癒《いや》すことができるなら、良心はもはや私たちの王ではないことになります。私たちが乱した道徳秩序を私たちが自らの手で十全な状態に戻すことができるなら、いつも動揺している私たちのことです、その乱れた思いから、私たちは道徳秩序そのものをあらぬ方向へ曲げてしまうことでしょう。私たちは「天の下で最もプライドの高い雄驢馬《ろば》［この上もなく高慢な愚か者］」であるほかないのです。ルターがまさに、そう言っていたではありませんか。私たちは失敗を悲しみ、その回復を目指して努力することでしょう。しかし私たちには、神がなさったように、贖罪によって和解をもたらすことはできないのです。考えてもみてください。互いの罪を贖うことなど、私たちにはできません。

私たち自身の間に実際に起こっていることを思い返してみましょう。傷つけられ無視された死者のことを、考えてみてください。例えば、私たちの間にある、沈黙した、しかし私たちが触れることもかなわない故人のことを、です。そうした死者に対して、私たちはいったいどんな償いができるというのでしょうか。カーライルがその妻を喪った後の心痛を思いみてください。［詳しくは訳者註①をご覧ください。］

訳者註①：

ジェーン・ウェルシュ嬢が、トーマス・カーライル（Thomas Carlyle,1795.12.5 ~ 1881.2.5）と結婚したときのことです。彼女の友だちは、ジェーンがあひるを追い立てて、薄汚いマーケットに出入りしていると噂しあっていました。ジェーンはたいへんな美人で、その上相当な財産の相続人でもあり、自分が望めばどんなすばらしい相手とでも結婚できたはずでした。結婚相手のトーマス・カーライルは桁外れの頭脳の持ち主ですが、また桁外れにガサツで無骨で、風変わりな人物でした。もちろん一文無しでしたし、将来の見通しもまったく立っていません。あるものといえば、知性と才能だけでした。ジェーンがなぜ、この気難し屋でスコットランド生まれの夫と結婚したのかについては、いまやちょっとした伝説になっています。

彼女は、夫がエジンバラ大学学長に選ばれ、ロンドンでは偶像視されるほど有名になり、「フランス革命史」や「政治家・クロムウェル伝」のような古典の大作家になるのを、この目で見たのです。ロンドンのチェルシーにあった自宅は、時代を代表する文壇の鬼才たちでにぎわっていました。（この鬼才たちの中に名を連ねる顔ぶれは、テニスン、サッカレー、ブラウニング、ラスキンといった詩人たち、「クリスマス・キャロル」で知られる作家チャールズ・ディケンズ、知的巨人といわれたジョン＝スチュアート・ミル、思想家ラルフ＝ウォルドー・エマソン、このシリーズにも出てくる英国宰相ベンジャミン・ディズレーリなど、そうそうたるメンバーのようでした。）ジェーン夫人自身も才能ある詩人でした。しかし彼女は、より多くの時間夫に尽くすようにと、詩作をやめたのです。家族や友だちからも離れ、夫が誰にも邪魔されずに作品を書けるようにと、人里はなれたスコットランドの村に移り住みました。自分の服は自分でつくり、暮らしぶりも質素でした。夫の慢性的胃弱を改善しようと努力し、また、慢性的な不機嫌を和らげようと、いつもニコニコしていました。彼の著書が大衆の目をひきはじめると、彼女は彼の才能をわかってくれる人に進んで交際をもとめました。夫が社交界の美しい貴婦人たちにもてはやされるのにも耐えました。彼女たちのおかげで、彼の作品は好意的な注目をあびることができたからです。

しかし、なんといってもジェーンのすぐれた美点は、ほかにありました。それは彼女がけっして夫の生来の特性を変えようとはしなかったことです。現在保管されている手紙の中にこう記しています。

「夫の個性に勝手に手を加えて、それを台無しにしてしまう代わりに、わたしなら、すべての個性のまわりにチョークで丸を描き、そのひとつひとつに、この中から出ないで自分の個性をのばしなさい、と言いますわ。」

器の小さな女性なら、カーライルの荒削りな一面を磨き上げようとしたかもしれません。

もちろんそれは、彼を思ってのことですが。ところがジェーン夫人は、ただ単に夫のアイデンティティ、つまりあるべき姿になるよう手を貸したにすぎませんでした。彼女はあるがままの夫が好きでしたし、世の中に対しても、そのままで夫を受け入れてほしいと願いました。

たしかに一人の男の能力を実現させるべく手助けをすることと、その才能以上に男を押し上げることとの差は、紙一重でしかありません。男の限界を見極め、それを超えて上に押し上げようとしない責任は、女性の肩にかかっています。ジェーン夫人にとってそれは、知性の巨人を見せかけだけの洗練された賢者にしないことが問題でした。彼女は、夫カーライルの変人ぶりにもかかわらず、ずっしりとした個性を尊重し、彼の〝チョークの輪〟の中で努力したのでした。

(『D・カーネギー夫人のビジネスマンの妻が読む本』ドロシー・カーネギー著、桜井秀勲訳、三笠書房刊)


死者に対して、私たちの手も、私たちの心も、寄り添うことすらできない。あるいは、一つの人生に対してすら、その全体の修正を試みることが、私たちには全くできない。我たちの神、聖書に示された「妬《ねた》む神」こそが、私たちのために、その死者たちの償いを行う権利を独占し給うのです。その死者たちがゆるされるための嘆願請求すら、私たちにはできない。死者のために私たちが犠牲になることは、私たちにはできない。死者たちに向かって祈ることは、私たちにはできない。ただ死者のために祈るばかりなのです。私たちはただ、神が私たちのために執り成してくださるように、祈るばかりです。そうして神が死者と私たちの間に和解をもたらしてくださるようにと、祈るばかりなのです。

　カーライルがそうであったように、私たちも80歳まで生き、先立った妻のことを悔やんでその生涯の終わりの長い時期を送ることがある、かもしれません。しかし、その時でも、私たちが傷つけ、あるいはさみしい思いをさせた故人と和解することは、私たちにはできないのです。私たちは、すぐそばにいる天使を、そうと気づかずに泥まみれにしてしまう。そのことに気づくのは、その天使が飛び去った時となる。それで自分のそばにいる天使の羽一つ、きれいにすることもできないのが私たちなのです。あるいは、自分の夫の心を奪った誘惑者をゆるす優しい人もいるでしょう。その人の心は、そこに破れ果ててあることでしょう。しかし、その心を傷つけた男は、その心の痛みを癒すことができず、決して和解するための償いをすることはできない。

さらに言えば、自分自身の魂を傷つける私たちは、その魂の損害を補償することもできないのです。つまり、私たちは、自分自身の魂に対して罪を犯します。そしてその罪は、償いようがない。もしそうであるなら、私たちが神を傷つけ無視し続けた罪を、どうやって償うことが出来るでしょうか。神を刺し貫いてしまったという事態に立ち至った時、どうやってそれを償うことができるのでしょうか。神学は、その道筋を示すかもしれません。しかし、私たちの良心はそれを許さないでしょう。過去は抹消できない。過去は改訂できない。過去はとりつくろうことはできない。過去はそこに屹立《きつりつ》している。私たちはひたすら、過去への償いがなされ和解への道を示されるのを期待する。しかし、それは私たちの手では、できないことなのです。

私たちが後悔することで自動的に和解が生じる、と考える人も、私たちの周囲にいるかもしれません。しかしよく考えてみてください。それが本当なら、いったいどうなるでしょうか。もしそうであるなら、その和解の過程から「謙遜」というものが失われてしまいます——後悔を価値あるものとするのは、ただ「謙遜」だけなのに。償いによって和解を成立させる。そのことによって「価値ある後悔・謙遜を伴う後悔」が生み出されるのです。勘違いしてはいけません。後悔が償いとなって和解を生み出すのではありません。

誰も、その兄弟の魂を救い出すことはできません。いや、誰も自分自身の魂すら救い出せないのです。キリストは、ご自身に魂を救う力があることを知り、そして実際、そう言っておられました。その時、キリストは、ご自身が人間を超えた存在であることを知っておられたのです。人間の負債を支払いきることができる人はいません。神ですら、人間の負債を取り消すことはできません。ただ「放蕩息子の父」だけが、人間のために、人間の負債の支払いをすることができます。なぜなら、その負債とは「服従と聖性が足りない」という負債であって、「苦痛が足りない」という類のものではないからです。刑罰は犯罪への償いとなるが、罪そのものへの償いとはなりません。問題は聖なるものに対する負債であって、必要とされているのは聖性に対してどう償い和解するか、なのです。「正義のためにどうするかが問われている」とか「正義そのものだけが求められている」というのは、誤解です。正義は刑罰を求めます。聖性は、その刑罰の中においてなお、聖なるものがあるのかどうかを問題とします。他の魂のために刑罰がなされるとして、そのただなかで、魂自身の完全な聖性が獲得されるかどうか。それが聖性の求めるところとなるのです。愛なき侮蔑《ぶべつ》には、刑罰が求められます。その刑罰のただなかに、愛ゆえの服従があるのかどうか。それを、聖性は問題とするのです。聖なる法がある。それは神が決して破ったことのない法です。その法の求めるところを私たちのために満たすのは、神お一人です。神には責任が全くない費用弁済を、神だけが支払って下さるのです。

そして、神はその支払いを済ませ給いました。それもみ旨のままに、完全に、支払い給いました。それで、ゆるしの中に現れた神の恵みは私たちに対してみ旨のままに溢れるばかりとなっています。それで、この支払は神にとって何でもないことのように見えるのです。それはまるで「ただ単なる親切心の発露」のように見えてきます。その費用は完全に、そして、み旨のままに担われたからです。それで、神の恵みは、まさにその慈悲深さのままに現れ、御父の愛は傷つけられることなくはっきりとあらわれたのです。かくして恩寵は実に自然な様子で私たちのところに届いたのです。

親しみやすく軽快で才能あふれる作品を発表する芸術家を考えてみましょう。その芸術家は、その域にまで、どうやって達したのか、考えてみましょう。そこには年月をかけた努力があったはずです。その努力は忍耐と苦役と屈従と克己と自己犠牲の中で積み上げられたはずです。その喜びにはるかに勝る労苦と悲しみとして表現されるべき日々を、その人生において積み重ね、そうして初めて、芸術家はその域に達することができたはずです。しかしそのようなことは、達人の手による作品のどこにも、まったく見られない。神からの恵みがあなたに与えられるその時もまた、同じことが起こるのです。神の側における苦労の押し付け・見せびらかしによって、その恵みの素晴らしさが台無しになる、そんなことは、決して起こらないのです。

あなたの友人があなたを訪ねてきたときのことを考えてみてください。何とかその友人を歓待しようと手ぬかりなく努めているときに、厨房での苦労を見せびらかすでしょうか。その友人にホスピタリティを示そうと調度品を揃えた、その準備について、その友人に知ってもらいたいと思うでしょうか。その友人と歓談の時を持つために「よいしょ」と乗り越える、その肉体的疲労について、知ってもらいたいと思うでしょうか。その友人を喜ばそうとする一つ一つの事柄の下に覆い隠している気苦労を、その友人に知ってほしいと思うでしょうか。

神はそのコストを私たちに見せつけたりはしません。そんなことをして、その恩恵を台無しにはされないのです。

キリストとその使徒たちは、贖いの業に含まれている荘厳さを、上品に控えめに語りました。そのことを思うとき、口先ばかりで大げさに何かを誇示してみせ、わざとらしく聞く人に押し付けてしまった福音主義のことを、ここで思い出すべきだと思います（私はここで、敢えて「キリスト教のことを」とは言わないでおきます）。実際、そのせいで、福音主義の多くの部分が失敗し腐敗したのでした。

様々な宗教に共通する話題となるものに、「罪」という主題があります。実にそれをすら、キリストは「ゆるし」という文脈を離れて語ることは一度もありませんでした。キリストは聖書の中で、様々なことを、とても抑制的に語っています。しかし「抑制的だ」ということが「否定する」ということを意味しているわけではありません。放蕩息子のたとえがそうであるように、あらゆるたとえ話は、完全な体系を示すものではないのです。そうではなくて、それらはある重要な一点を浮かび上がらせるように語られています。その一点とは、神の恩恵が大盤振る舞いで供されることです。つまり、すべての人に開かれた恩恵があるということ。それこそが「神の父性の華」と言うべきものとなるのです。

新約聖書に所載されているたとえ話は「神の恩恵に何のコストもかかっていない」ということを私たちに教えるものではありません。「人間の限界を超えた賠償など何も求められていない」ということを語っているのではないのです。「神との和解、つまり贖罪は〝ユダヤ教的作り話〟だ」ということを、新約聖書のたとえ話は物語っていないのです。

ユダヤ教的!?――ユダヤ教的だからといって作り話のはずだ、というはずもないでしょう。自由主義的な思考が、そのような病んだ間違い、あるいは「ユダヤ主義」という侮蔑の言葉をもたらしているのだと思います。キリストの時代に神がユダヤ教的思考体系の中でお働きになったのです。だから私たちは、仏教思想の中にも神は働き給うと言い、現代思想の中にも神は働き給うと考えることができるのです。

新約聖書のたとえ話が語るところは何でしょうか。それは、恩恵は愛と同じくすべての人に開かれている、ということです。贖いが帯びる全能の力は、恐るべきものであり同時に完全で、そして全く同時に優美なものでもあります。この恩恵にはコストがかかっているはずです。そうでなかったなら、この贖いの恩恵が、これ程にあまねく広がり流れることなど、なかったはずなのですから。

恩恵がかくも無尽蔵に開かれているのは、負担されるべきコストの支払いが完済されているからです。そのことについては、なお別の説明ができます。

価値があり、かつ、すべての人に開かれている、そうしたものには、必ずどこかで誰かがそのコストを負担しているものです。血の代価なしには、ゆるしも、解放も、自己の発見も、魂の獲得も、安心立命も、平安も、恩恵も、誠実さもない。その内実においてもその形式においても、魂が自由を得ることはない。十字架なしに魂の栄冠はない。これは神にとっても人にとっても等しく真理なのです。

恩恵とは実にコストを意味している——ただし、そのコストは、完全なる勝利のうちに満たされている。それが恩恵というものです。どうぞ皆さん、神の恩恵を、その充溢《じゅういつ》と豊かさとやさしさの内に受けてください。

父なる神の恩恵は、すべての人に開かれています。そのことについて限界を設定することはできません。神の恩恵には平安が伴います。その平安は、その恩恵の内実が持つ強大な重力による安定なのです。

芸術［art］は、そこに込められた技術［art］を見えなくします。ゆるしの内に現れる神の御業［art］つまりゆるしという完全な恩恵は、贖いの業［art］を覆い隠し、そのための恐るべき労働とその神秘を見えなくしているのです。

Ⅳ

啓示には大いなる淵源《えんげん》があります。それが、啓示の力を担保しています。その淵源とは、どんなものでしょうか。まず、だれもそこに立ち入ることができない、というものではありません。しかしその淵源は、私たちの目に映るものではないようです。キリストも新約聖書も、実にがっかりするほど、無口です。「恩恵のコスト」について、「救いの計画」について、「贖罪論」について、説明してくれないのです。神の前における私たちの呪いを、キリストが担い、世界にある罪責を取り去る。それを聖書は語っているのですが、しかしその詳細な手順も方向も、聖書は一切語ってくれないのです。

しかしそれでも（聖霊と教会が存在する限りにおいて）私たちはそうした真理を自らのものとすべきです。そしてそれは、できることなのです。救われた良心は、その良心が属する道徳的世界のために、そうした真理を切望しています。そうした真理こそ、教会の信仰にとって、そして最終的には個人の信仰にとって、本当に必要とされるものなのです。

「恩恵のコスト」について全く知らないでいることは、とても危険なことです。恩恵を無力なものとしてしまうリスクが生じます。そんなことをすると、最終的に「ほとんど救われていない」という窮境に陥るのです。

ここで放蕩息子のたとえ話に戻って、「恩恵がすべての人に開かれているということが道徳を破壊する」ということは、いったいどういうことであるか、考えてみましょう。

あのゆるされた次男が、幾年もの年月をゆるしの中に過ごす、その中で、父あるいは神に自分がもたらしたものが何であるかを考えたとして、しかしその結果、自分が受けた恩恵に十分真剣に思い至らなかったなら、いったいどうなるでしょうか。どうぞ、ぜひ考えてみてください。この次男はすべての人に開かれたゆるしに満足を覚えた。そして咎めの言葉一つないままに祝宴にあずかった。しかし、そうした事柄の背後に心を寄せることが全くなかった――そうだとしたら、いったいどうなるでしょうか。

この次男をずっと見守った父親の瞳。次男が遠くにいても離れることがなかった父の瞳。その瞳の奥にあるものに、次男がもし、一切目もくれないとしたら、いったいどうなるでしょうか。父はその懐の一番深い場所にこの放蕩息子を迎え入れた。その驚くばかりの歓待に、しかしこの息子が何も心動かされなかったなら、いったいどうなるでしょうか。ただ朗らかな明るい心ですべてを受け入れ、「ただ嬉しい。それだけ、それだけだ」とこの放蕩息子が語るとしたら、そのゆるしの世界とは、いったいどんなものとなるでしょうか。つまり、この放蕩息子が「これでいいのさ、こんなものだよ。思った通りだ」とうそぶいたとしたら。

神のゆるしが手早くなされることで、この放蕩息子が安心してしまい、自分自身をゆるし、過去をただ忘れて行くことになる。そうなると、「寛大で忍耐強い父」というこのキャラクターは、決して「聖なる父」にはなりません。それでいいのでしょうか。主の祭壇に輝く燭台の灯は、罪の恐るべき深みへと人を導くはずです、あるいはそうしてついに、御父の奇跡が解き明かされるはずなのです。そうしたことが起こらず、神のゆるしが何の実りももたらさないで終わる、としたら、どうでしょうか。そんな物語が「放蕩息子のたとえ」の中身だとしたら、私たちはこのゆるされた息子をどう考えればよいのでしょうか。

一つの思考実験をしてみましょう。この元・放蕩息子に喜びと安住の日々を大いに楽しませてみる。聖なるものとの蜜月の時を彼に与えてみましょう。そしてもし、そうして数年を経てなお、彼が大切なことへの渇望を示さなかったなら、どうでしょうか。

この世界には天使が知りたいと願い、しかしそれが天使にはかなわないものがあるのです。実に人間の中でも贖われた者たちにしか知らされない秘儀が、この世界にはあるのです。たとえば、贖い保護し救う神にとって、その救いに秘められた意義が一体どんなものであるのか。そうしたことこそ、まさに「秘儀」と呼ばれるものです。そうした秘儀について、彼がまったく探求しようとしなかったとしたら、どうでしょう。贖い出され保護されて救われた者であれば当然、その結果として、良心の深化がみられるはずなのですが、しかしそうした兆候を彼が全く示さなかったとしたら、その贖いの業はいったいどうなってしまうのでしょうか。

彼は豚と共に泥まみれになっていました。その時彼は何かに気づいたのです。その時よりも深い気づきが、その後の彼の歩みの中に見出されなかったとしたら、いったいどうでしょうか。ただ単なる宗教的情感の前触れのようなものだけを身に着け、浅薄な宗教的知識に満足した状態にとどまり、御父の思いに裏打ちされて明らかとなった自らの罪深さを思うこともなかったら。愛には聖なる厳しさがあるのです。かつて彼はそれを足蹴にしました。そのことの重大さを考えることが彼になかったとしたら、どうでしょうか。この世界には、聖書が言うところの「主の論争」があるのです「旧約聖書ミカ書6章2節 聞け、山々よ、主の告発を。とこしえの地の基よ。主は御自分の民を告発し／イスラエルと争われる」。つまり、命がけの道徳的紛争があります。そうしたものを、この元・放蕩息子が全く学ばなかったなら、いったいどうなってしまうのでしょうか。

永遠の贖いという救いのスケール感をもってこの世界の罪の重さをはかること。そうしたことに彼が無頓着だったら、どうでしょう。恵みの内に新しい歩みを始めたはずの彼の道行きが、結局そういうものでしかなかったとしたら、私たちはこの登場人物をどう考えたら良いのでしょう。彼は御父を再び失望させるのではないか、今度は別の道で——つまり宗教的な道で——彼は恩恵から転落するのではないか、と、私たちはそう心配するのではないでしょうか。

この元・放蕩息子は、あるいは温和で愛想のよい文化的な人生を歩むかもしれません。そして彼は懺悔に導かれる博愛主義者となり、安易な楽天主義者となり、麗しい父なる神への敬神を示し、味わい深い敬虔な態度を身に着け、社会改良を志し、多彩な関心を持ち、倫理的共感と審美的魅力を兼ね備え、そして「救われた」というよりも「啓発された」というべき良心を持つに至るかもしれません。敬虔主義者となることもあるでしょう。

実際、教育水準において劣悪な成育歴の影響を負っている人は、能弁な宗教家の影響を受けて薄っぺらい聖人に堕してしまうものです。あるいは安逸な空気をむさぼり、一小集団をもって天国とみなして安住する。そして、その持てる力のすべてを用いて「今風のもの」つまり宗教的には無価値なものへと自らを売り渡してく——そんな危険性も、そこにあるのです。そこには大地の深みがありません。天路歴程の歩みがない。聖なる血潮のたぎる熱さがない。現実の世界を生きる実感がない。恐ろしい格闘がない。神と共にある力がない。魂の自由・洞察・度量がない。自分自身のために蓄えられた力がない。他人に及ぼす影響力もない。だから、魂の現実と、魂を贖い保護し救う方について、自分自身でも確信が持てないし、疑う他人を説得することもできない。これが宗教的感傷主義の末路です。この惨めな窮状に陥らないでいることは、難しいと思います。個人としてはここから逃れることができるかもしれません。しかし、教会の単位においては、先ほど思考実験をしてみた元・放蕩息子のようになったとき、その末路がこのような惨めなものに至ることは、どうしても避けがたいことなのです。

V

主イエス・キリストが語られた「放蕩息子のたとえ話」は、その物語を通して、神の恩恵の豊かに無尽蔵であることを私たちに語りかけています。同様に「キリストご自身」が、同じ神の恩恵の豊かさ・無尽蔵さを、私たちの生きた魂の中で、私たちに語り掛けています。キリストはまさに、私たちのただなかで、生きた永遠の恩恵そのものとして、語り掛けてくるのです。

キリストはかつて、ご自身そのもののすべてを「たとえ話」の中に語られたことがあったでしょうか。あるいは、ご自身の思いすべてとその御業の中で積み上げられた経験のすべてについて、そして罪と恩恵と栄光の深さと高さについて、キリストが「たとえ話」の中で披瀝したことがあったでしょうか。いや、そうしたことはなかったのです。キリストご自身が偉大なる福音そのものです。だから、どんな物語であっても、その中にキリストご自身のすべてをねじ込むことは、できないのです。すべての「たとえ話」とそのすべての理解を組み合わせたとしても、それはできないのです。

たくさんの言葉が語られ教えられたのに、それが成果なく終わった。「たとえ話」も無駄だった――そのことが明らかになったその時、最後のたとえ話の偉大なる実演として「最後の晩餐」があり、最後の偉大なる祈りがゲッセマネで行われ、最後の偉大なる奇跡として十字架と墓穴が示されたのでした。

キリストがこれらのことへとお進みになったその時、キリストの心中に、いったい何があったのでしょうか。そこには、その放蕩息子のたとえ話の中に練りこんだ「父のコスト」を超える「何か」があったはずです。そうです。それをはるかに超える世界が、十字架と墓穴において、示されたのでした。そしてペテロが数年の後、主なる聖霊が彼に教えたとおりに、キリストの血潮のコストの大きさについて語りました。それは一つの流れのように、使徒たち一人一人の思想の中に受け継がれ、繰り返し語られていったのでした。

確かに、使徒たちはキリストの生き様とその言葉とが、キリストの死によって照らされ輝いたのを見ました。しかしそれだけではありません。キリストの生き様と言葉が、その死の光に埋め尽くされるようになり、遂には見えなくなったのを、使徒たちは見たのです。「福音の御言《みことば》」とは「イエスの言葉群」というよりはむしろ「十字架という簡潔な単語」あるいは「十字架という出来事」でした。十字架という出来事は、神の正義を前景に映し出し、私たちのために働き、私たちの内に起こるすべての働きの源泉となり土台となるのです。

受難の物語が福音書に占める分量は圧倒的です。この一事だけを見ても、イエスの弟子たちにとって、イエスは「教師」であるよりもむしろ「取次・仲保者」であったことは明らかです。聖霊は「イエスの語った教え」からよりもむしろ「イエスの十字架」からやってきたことが、明らかだと思います。

その上でなお、次の事実がキリストご自身のお姿から語られるべきです。つまり、「御父の神聖なる業としてのキリストの苦しみと死」という聖なるコストについて、聖書をいくら読んでも、私たちはそれをほとんど目にすることがない、という事実です。

ほとんどすべての人が関心を寄せる事項について、実に終わりの時に至るまで、ほんのさわり程度しか、キリストはお語りになりません。その聖なるコストは「人に求められる」ものではなかったのです。そのコストの支払いは、「キリストが人のために」なさるものではなかった。それは「神がキリストに対して」お求めになっているものであったのです。「キリストの苦痛」を、神がお求めになられました。神は「キリストの服従」を求め給うた。そこに神の聖なる意志がありました。つまりそこに、聖なる神のためになす「キリストの十字架の業」があったのです。

つまり、キリストにとって、その十字架は、第一義的には人間に影響するものではなかったのです。さもなければ、キリストはもっと多く十字架について語ったことでしょう。

結局、十字架は、御父に向ってなされた業だったのです。御父に向って十字架の業を成し遂げること。実にそれこそ、キリストの生涯を通して、キリストの心の中でいよいよ重みを増した関心事となっていったのでした。

私たちの神学的満足のために資するようなことを、キリストは、十字架上で、ほとんど何も語りませんでした。私たちにはひと言・ふた言程度が与えられただけです。その数少ない言葉を通して、キリストは私たちに「十字架と贖罪の本質は祈りである」と示されました。

キリストはお与えくださったそのわずかな言葉によって、私たちに、大切なことを語っています。その大切なこととは「キリストご自身のいのちと魂を注ぎ込んだその御業は、祈りの中にその本質を持っていた」ということです。「祈り」言い換えれば「神との交渉」こそ、十字架において示されていたものだったのです。

十字架には、明晰で確実で毅然《きぜん》として冷静な人の内から絞り出された言葉が練りこまれています。その言葉数は少ないのですが、その言葉は、その人生全体が示した姿勢をそのままその内に保っています。いくつかの言葉が十字架から発せられました。それはまるで、ふと聞こえてきたかのように響いていました。何かを伝達しようとして発せられた言葉ではありませんでした。それは「かろうじて、なんとか救われた」という私たちに伝わるようにと注意深く発せられたものではなかったのです。そこには寡黙《かもく》さがありました。そこにあったのは、御子が御父と具体的にやり取りをしている、その中でだけ認知されるような、そんな小さな声でした。「キリストの御業とその苦しみが私たちにどのように響くのか」といったことは、十字架のキリストにとって、まったく関心の外にあったのです。

こうしたことがあるので、今日の［19世紀末の］聖書学においては、使徒書簡と福音書の間に本当につながりがあるのかどうかを巡り、議論が起こっています。「使徒書簡が語るキリスト」から「福音書が語るキリスト」を助け出さないといけない、という議論が起こっているのです。「パウロのキリスト」から「キリスト」を救い出さねば、という議論です。「新約聖書のユダヤ主義」から「キリストの宗教」を取り出して守らねば、という議論でもあります。［詳しくは133頁以下の訳者註②をご覧ください。］

なるほど、一面において、次のことは確かに言えると思います。つまり、弟子たちは、キリストの死について語るキリストの言葉を十分には理解しなかった。それは弟子たちがキリストの言葉をすべて覚えることができなかったためだ――この見解について、それなりの価値がそこにあることを、私は認めます。福音書はキリストの全体像を示すべく完成されたものではないのです。あるいは、キリストの真理の本質を完全に示すために残されたものでもありません。そのそもそもから言って、福音書は補足的に用いられるべきものとして作られました。福音書を、それ自体で完結したものとみなすのは、歴史学的に言って、間違っているのです。

福音書は福音を受け入れた人々のために書かれたものです。キリストについて知り得た事柄を書きだすために作成されたのが、使徒書簡でした。それをすでに手にした人々のために、福音書は書かれたのです。「救いのための言葉を伝えようとして」というよりもむしろ「救いのための言葉をより豊かにするため」に、福音書は書かれたのでした。使徒たちがこの世を去り、その後継者を残さなかったので、その使徒たちの代わりとなるために、福音書は書き記され残されたのでした。

さらに、福音書として残されたのは小さな記憶の束でした。ですから、その内容には偏りがあります。まずそのことを念頭に置きましょう。そうすると、次のことは考え直さなければならなくなります。つまり、私たちは「キリストの恵みの御業」をこそ、いよいよ必要としているのに、私たちは自分のキリスト者としての人生の中で、「キリストの優しさ」と「キリストの教訓」ばかりをしばしば求めてしまっている、ということです。福音書の末尾には、圧縮された部分があります。そこにこそ、福音書はその重心をかけているのです。

以上の事柄を説明してもなお、事柄の全貌は見えてきません。そこで一つ二つの違った事柄を提示することで、以下にさらに説明をしてみたいと思います。

VI

もし神が人をゆるすために来たとして、そのコストを誇示していたとしたら——そこには「神の恵み」に相応しい姿とは言い難いものが示されることでしょう。「神の恵み」であるならば、恵みを与えること自体が神の喜びとなり、恵みを与えることで神が満足を得る、ということでなければ、変です。あるいは、「自由にゆるせるから、ゆるす」という

「ゆるし」でなければ、何かがおかしいと思います。

ある人があなたの過失をゆるそうとして「こんなひどいこと！　これを見過ごすのは、どんなに大変だか、わっているの？」といったことを、くどくどと語らずにおれないでいる――そんな人がいたら、きっとあなたはその人を「哀れな人だ」と思うでしょう。「ゆるす自分」が、その人にとって、どうしても意識から離れないのです。自分自身が示す寛大さを、どうしても意識してしまう。あなたをゆるした、ということのコストをいつも意識して、あなたの前でそれをひけらかす。そうして結局、それはゆるしでも何でもないものになってしまう。――なんと惨めなことでしょう！　この類の精神のために、和解という貴い事柄の素晴らしさがどんなに損なわれることでしょう！　こうしたことが、恩恵という事柄をどんなに破壊することでしょう！　そこで裏切られる心の、なんと惨めにさもしいことでしょう！　ゆるしの中に展開するはずだったおおらかさが、なんとしなびてしまうことでしょう！　なんと嫌々とした、どこまでも神々しさを失った姿！　「父なる神」という言葉に付帯しているはずの豊かさが、そこに全く見られない。恵みの欠けた取り扱い方法の、なんと無礼千万なこと！

そんな様子は、神のゆるしの流儀とは全く異なっています。「父なる神」という言葉に分厚く包含される意味合いこそ、神の流儀の基調となっているのです。神のなさるゆるしには、特別な流儀があります。それだけではありません。さらにそこには優雅さがあるのです。神は私たちに、大いなる謎を残されます。そのゆるしにかかったコストは何か、という謎が、ゆるされた私たちの手元に残されています。そしてその謎は、私たちがその答を獲得する時を待っているのです。

ゆるされた者の心の中で、ゆっくりと、その謎を解きたいという思いが、どんどん強まっていきます。そういえば、弟子たちがキリストとの交わりを通して自分でその答を掴むまで、キリストは決して、弟子たちに「ご自身がメシアであるかどうか」について、お語りになりませんでした。メシアとしての働きを弟子たちに具体的に示されるまで、キリストは決して、弟子たちに、ご自分がメシアであるかどうかをお語りにならなかったのです。ただ、弟子たちが「そうだ」と掴んだのでした。その時、啓示は弟子たちの胸の内に、まさに発見として、宿ったのです。経験の中で火花のように啓示がはじけたのです。神はどこまでも優雅な方です。啓示なさるその時にも、優雅さを示されます。だから、啓示が私たちの腑に落ちるようにして下さる時は、まさに「私が発見した」としか思えないようにしてくださる。卒啄同時《そったくどうじ》［弟子が教えを体得するにあたり、逃すことのできない、またとない好機に、師匠が完璧なタイミングで教示をすること。］――これこそ、神の素晴らしい流儀にかなうものです。

神が放つ輝きは、私たちの目には見えず、失われてしまっているように思われるかもしれません。しかし、私たちが神のゆるしの中に入れられる過程を通して、その輝きはだんだんと理解されるものとなります。まず、ゆるしが自由を与えます。その自由が、ゆるしのためにかかったコストを見定める力を私たちに与えるのです。新しい生命に与えられる冠は、その生命を喜び楽しむ力です。しかしそれだけではありません。その冠は、その生命を称えるための力でもあるのです。その力はゆるしの上に生まれます。それは経験の真理なのです。

ゆるしの力は、和解によってゆるしそのものを説明します。ゆるされた人の第一段階において起こることとは、何でしょうか。「贖罪論の適切な理解」ではありません。あるいは「ゆるすためにかかったコストをしっかりと感得するセンス」でもない。そうしたものは「救う信仰」ではないのです。ただ、救われた者にのみ、そうした知識がやってくることでしょう。十字架は神学となります。しかしそれはただ、十字架の宗教がその人の内に始まって、その後のこととなります。

ゆるされた人の第一段階において起こることとは、何でしょうか。それは「ゆるしの恵みに対する自由な応答」なのです。その応答とはまさに、自由で、慎み深く、喜びに満ちた心によってなされるものです。その応答は「コスト意識」にではなく「自由」にこそ、しっくりくるものとなる。「ゆるしへの応答」とは、神ご自身へとなされる私たちの献身です。それはつまり、神が私たちにご自身を投げ渡されたことに応えて、私たちも自分自身を投げ渡すことです。それはつまり、神の言葉に神を掴むことです。神の言葉とは何でしょうか。それは、神の活ける言葉としてのキリストです。緊張感の中にある、寡黙な、優雅で、見事な言葉――それがつまり、神の活ける言葉としてのキリストなのです。

この活ける言葉としてのキリストが、贖われ保護された者たちに残されました。キリストの使徒たちこそ、それを受け取った人々となったのです。そうしてその人々は新しい生命と幻と、そしてすべてを新しく量る尺度を得て、聖なる者となりました。彼らが受けたものは、信仰をもってその真の後継者となった者すべてに引き継がれました。そして「キリストの業のコスト」についての議論が始まり、御父の恩恵の隠された富が描き出されるようになったのです。そのようにして、キリストの十字架において御父がそもそもお求めになったものが明らかにされるようになり、御父と御子との両者における「父としてのコスト」とは何であったのかが、大写しで示されるようになったのでした。

ですからつまり、贖罪論と「御父が負担されたコスト」についての理解は、キリストが教えた事柄だった、ということになります。確かにそうなのです。「地上におけるキリスト」が「キリストのすべて」ではないのです。「地上におけるキリスト」にキリストの全体像が示されたのですが、それですべてであったのではありません。「基督ハ全テヲ示サレタガ、ソノ全テガ出来事ノ中ニアッタワケデハナイ」とカルヴァンも言っていた通りなのです。

キリストは霊をもってパウロに教えたのです。それはまさに、キリストが肉体をもって弟子たちに教えたのと、まったく同じく真理です。そしてパウロに対して、あるいはキリストは、他の弟子たち以上に多く教えることができた——というのも、パウロは他の弟子たちよりもずっと感受性豊かな学徒であり、学ぶのにふさわしい魂を持っていたからです。パウロについては、さらにいくつかの優れた点を挙げることができるでしょう。そういうわけで、パウロは他の弟子よりもずっと、いくつものキリストの真理について、頼りになる報告者となったのです。

最初の聖人たちは、慎み深く畏れつつ、感謝に満ちた経験をしました。その経験によって、キリストの業の含意が深く洞察されるに至りました。そしてさらに、キリストの業が、そうした聖人たちを再びつくり出しました。彼らは口をそろえて、自分たちを形作ったのは何であるかについて、確言しています。彼らによると、彼らをつくり上げたのは、キリストの口から出た言葉である以上に、十字架の業であった、というのです。十字架が、彼らの中で、十字架自体の注解書と神学と釈義を提供した、というわけです。

そうして神学が生み出され、残されていきました。それは理論を解説するものとして生み出されたのではありませんでした。それは生命と霊を説明するものだったのです。その神学は生命と霊を十字架から掴むものだったのです。

まさに、そうだったのです。それ以外にはあり得なかったのです。神が、恩恵によって人間を贖い保護し救う、そのコストや希少さを集中して描き出す神学は、ただ「贖われ保護され救われた者のため」にのみ、存在しています。そうして詳述される神学は、実のところ、神がなさる事柄としては、いささか優雅さに欠けたものとなるでしょう。神は恵みを私たちに賜ります。ただ、恩恵としてそうされるのです。コストの明細書をおつけにはならない。もう完了した事柄として、神は恵みを私たちにお与えになる。その恵みは豊かで成熟しており、弾けるほどに充満して気前よく開かれ、美しさと愛と悲しみと鋭い力の内にあるのです。

キリストはコストを支払い給いました。その支払いの最中に、そのコストについてくどくどと述べることは、キリストにとって、恩恵から優雅さを奪い去ることでしょう。恩恵の驚異と広大さと魅力を損なうことでしょう。

神の力によって自由を与え、再び創造する、そんな素晴らしい恵みの魅力を思い出すことによって、使徒たちや聖人たちは未来に向かって跳躍したのです。そして彼らは、私たちの礼拝のために、神の恵みのコストを描き出して示しました。そして私たちは、聖なる父性がゆるすために何を支払ったのかを知ったのです。そして私たちは、キリストが、どこまでも優雅であるために、そのコストを見せつけたりはしなかったと知った。ただしそれは、その恩恵が刺激となって良心の呵責を呼び出し、ゆるしの不思議さを思うようになる、その時までのことだったと知った——そうしたことも「優雅さを奪った」と責められるべきものでしょうか。今、神の恵みを黙想してみるとき、少し考えてみる必要があると思うのです。

ゆるしのコストについて云々すること、つまり、神のゆるしについて神学的に詳論することは、キリストの慎み深さと矛盾することでしょう。あるいはそれは、キリストの啓示が保ち続けている力と、相容れないものなのかもしれません。しかし、それについて一切語らず、神の寛大な沈黙に包まれた喜びの中で［以下に展開される「沈黙」の含意するところは、重大である。後に掲載する「コロナの時代の死と葬儀」を参照されたい。］、私たちが良心の痛みを覚え続けるとしたら、どうでしょう。それはきっと、神が給うゆるしが帯びる真の慎み深さと優雅さに、やはり相反するものとなってしまうのではないでしょうか。

Ⅶ

以上の議論から、第二の考察に進むことができます。

偉大な事業をなす人も、あるいは誰かを育てるために自分の経験を語ることがあるかもしれません。でもその時でも、自分の偉大な働きについて、ほとんど何も語らないものです。キリストは何かを「語る」ために来られたのではありません。何かを「為す」ために来られたのです。キリストの啓示は、教え授けること以上に、成し遂げることにこそ、ありました。キリストは人間を贖い保護し救うことによって啓示し給うのです。キリストによる啓示とは、単に、神の気持ちを印象深い方法で私たちに「気づかせる」ということではありませんでした。キリストの啓示はゆるしを「宣言する」ものではありませんでした。さらに言えば、ゆるしを「説明する」ものでも、決して、ありませんでした。ゆるしを「与える」ものですら、なかったのです。キリストの啓示はゆるしを「実効性あるものとする」ものでした。神と人の両方にゆるしの関係を成立させるものでした。魂と魂の間の関係は、その両者の心の琴線に触れる何かがあって、両方の側に変化が起こる、その時にだけ、成立するのです。そうでなければ、たとえ一方の側の気持ちが先に高まり、それが行動につながって和解を生み出すことがあったとしても、それだけで魂と魂の間にゆるしの関係が成立するものではありません。

キリストの業は、不動の氷山に似ています。それは一角を除き、隠れています。キリストの業は、その大部分において、神との交渉として成し遂げられました。人との交渉部分は、そのほんの一部分にすぎません。大いなる部分は、神との交渉にある。その詳細を私たちはほとんど知らないのです。しかし、それは成し遂げられた。キリストが成し遂げた過去最大の事業は、私たちの視野の外において成就しました。私たちのために成し遂げられた最大の事業は、私たちの背後で成就した。私たちはただ、振り返ってそれを確認できるばかりなのです。「私たちのために」それはなされた。それが「私たちと共に」キリストがなし給うすべての業の、最初の前提条件となります。

実際、大事業家というものは、自分自身についてほとんど語らないものです。彼らに言葉がないのではありません。その業に意味がないのでもありません。しかし、大事業家は沈黙を守る。英雄は自己を吹聴しないものです。救い主はその使徒ではない。キリストはその御父について、実に多く語りました。「御父の御子」としてのご自身について、多く語りました。しかし、ご自身が成し遂げようとすることや、それに伴う痛みやコストについては、ほとんど何も、お語りになりませんでした。

福音に触れれば触れるほど、このキリストの沈黙が印象深く思われてきます。私たちの周りには、魂を得ようとして熱烈に飢え渇くタイプの人々がいます。宗教的熱情に燃え、伝道にはやり、忍耐を失った敬虔さを示す人々がいます。そうした人々は弁舌爽やかで、活動的です。しかしその故に、印象にも残らなくなってしまう。若気の至りで信仰の深みを持たない［It is more youthful than faithful］。熱烈さが賢さを抑えてしまっている。エネルギーに溢れてしまって、霊感に乏しくなっている。何でも表現しようとして、すぐ言葉を発し、行動に移す。赤く不気味に映える月が荘厳な星辰を隠す、ということを、そうした人々は忘れているのです。「単なる薄っぺらい雲が、夜の荘厳な姿を隠してしまうことがある」ということを、そうした人々は忘れてしまうのでしょう。そうしたあり方は、キリストの内に、まったく見られないものです。
世界を急いで福音化しようという声に、キリストは全く耳を貸されませんでした。キリストはご自身が贖った魂が立ち帰ることをお待ちになることができた。キリストによって啓示された神ご自身も、同様でした。キリストが忍耐して待つ、その際に示されたエネルギーは、キリストが前へ前へと前進されるときに示されたエネルギーと、まったく等しく、信仰に根差したものでした。否、時として、前進するよりも立ち止まるエネルギーの方がずっと必要とされたものでした。信仰には実に、聖なる無関心と偉大なる看過がある。それは神による神聖な取り扱いとキリストの働きの完全性に根差したものなのです。

キリストは神をはっきり示されました。キリストは神を詳しく説明したのではありません。キリストこそ、キリストの証人であったのです。キリストはキリストの弁護人ではありませんでした。キリストは神に従い神の為に活動しました。キリストは預言者というよりはむしろ、力そのものでした。神学的弁証家というよりむしろ、預言者でした。解釈をする以上に、啓示をされました。その啓示は、言葉においてよりむしろ、その御業にありました。計画や組織ではなく、魂にありました。活きた真理以上に、活きた御霊をお与えになりました。活力ある原理以上に、聖なる御霊をお与えになりました。

　キリストにおいて、神はご自身をお与えになりました。キリストはご自身を説明されたりしませんでした。キリストこそ、啓示であったのです。キリストは啓示を詳細に述べたりはなさらず、ただ、御父を見せたのです。キリストを見た者は、キリストが御父であり得ることの不思議を見たのではありません。その成果を得て、恵まれたのです。そのようにしてくださった方を愛し信頼しているのが私たちではありませんか。あるいはもしかしたら、どうでしょう。キリストがこと細かに説明の言葉を重ねておられたら、私たちは、こんなにキリストを信頼することはなかったかもしれません。死に給うたキリストに信頼すること。それは、キリストの信仰に信頼をすること以上のことです。キリストはその御業によって罪のゆるしを実効性あるものとしました。そのキリストに信頼するのです。言葉でゆるしを説明するキリストに信頼するのではありません。その御業を語る言葉が私たちの耳にひっきりなしに聞こえてくるようにされる、そのようなキリストに信頼するのでもありません。キリストご自身の御業について、能弁にあるいは明確に語る者が、贖い主なのではないのです。
　キリストはその御業をなし給いました。そして、その御業が永遠に機能し続けます。「その御業によって神の内に新しい愛情が打ち立てられた」のではありません。そうではなくて「その御業が、二つの側にある世界の両方に、新しい関係を創造した」のです。キリストの御業が、神に対する新しい関係を、人間に与えました。そして、キリストの御業が、人間に対する新しい関係を（「新しい感情を」ではありません）神に与えました。キリストの御業が「神」を「私たちの父」とするのではありません。そうではなくて、キリストの御業によって、父なる神は「罪びとたち」を「神の子どもたち」として取り扱うことができるようになったのです。

　しかし、その御業の重みについて、確認をしておかなければなりません。キリストの御業の故に、天のいと高き秘密の場所において、大いなる危機が起こりました。そして、四つの福音書は沈黙したのです。そこに、救い主ご自身が引き受けられた緘黙《かんもく》［口をきつく閉じて押し黙ること］が響きかえっています。粛然とした静寂。情熱に燃え、力強く、退いている。そんな一人の人が、そこにいる。然り、この世界のものではない、目に見えない沈黙。最も聖なる影。智天使ケルビムの凝視。大いなる白い玉座の静けさ。天の高みにおける聖戦の静けさ。遥かかなたの霊的事象――幽玄に荘重に流れる霊的事柄。その静けさ。人はだれ一人聴くことも見ることもなかった、最初の創造の中に響く沈黙。その静寂が、二度目の創造の内にも響き渡る。その静謐《せいひつ》［静かで安らかなこと］は、あちこちに見つけられる。天の運行に。昇る朝日に。「あぁ！」と驚き不信をあらわす教会の、その薄暗い曙の光のような信仰と愛の内に現れる復活に。聖なる霊が行うすべての力強い活動に。――然り、私がこれらの聖なるものを数え上げるとき、そして、これらの畏怖すべき力動を語ろうとするときに、あなたたちの心の中に、キリストの証言が宿るのです。その証言は、福音書に響き渡るこの静寂として存在しています。「もし、御父を呼ぶなら、寄留者として過ごすこの時を、畏れかしこんで過ごせ」［第一ペテロ1：17］とある通りです。そうです。相応しく、神聖なおそれを思い出しましょう。聖なる御父の中心は、焼き尽くす火なのですから。

いくばくかの躊躇を伴いながら、もう一つ、考察を加えてみたいと思います。福音書が語るキリストの緘黙《かんもく》について、です。それは、キリストの苦しみの盃を満たす「沈黙」と「孤立」の一部でした。キリストには、その苦しみについて語り合うべき誰もいませんでした。誰も、理解が及ばなかったのです。キリストの弟子の中には、一人の「パウロ」もいなかった。ペテロもヨハネも、その時はまだ、このことを理解する新しい命には、与っていなかった。然り、その苦しみの最果てにおいて、実に御父ご自身が、キリストに向けて、この沈黙を、大いなるものとして臨ませました。御父がキリストとの交わりを終了させた――キリストの信仰と祈祷は終わっていなかったのに。溜息と短い独白だけが、そこに残された。キリストご自身の苦しみと、我らの苦しみと、その両方が煙となって充満した。キリストはそのすべてを、胸いっぱいに吸い込まなければならなかったのです。

キリストの孤独な沈黙は、キリストの貴い苦悶の一部として、キリストの苦しみの御業の一部として、確かにそこになければならないものでした。それなしには、その御業は成就しなかった。そこにあった寡黙な服従こそ、神の法廷における完全な承認のために必要不可欠なものであった。実にキリストは、その神の法廷における裁きを担われたのです。キリストの耐え給うた沈黙は、御父の正義をほめ称える完全な服従の一部でした。そのようにして、神の正義が人間の窮境《きゅうきょう》［どうにもならない苦しい境遇・立場］のただなかに、キリストの信仰と愛の中から、立ちあがってきたのです。

この静まった荒野のどこまでも広がるその緘黙の中でこそ、神への賛美はいよいよ強くなりました。それは、キリストが霊と言葉によって喜び語ったあの時、つまり「天地の主なる父よ、あなたに感謝を捧げます」［マタイ11：25］と語った時よりも、さらに強い賛美となりました。「語り得ぬもの」つまり「人間の後ろ暗い重荷」の下で、聖性が聖性を獲得する。キリストが担ったのは神の聖なる裁きでした。この裁きの中で、御父が隠され、未来が隠され、そして（こう言ってよければ）「明白な」意味が隠されるのです。そうしてキリストは人が担わなければならなかったものを、独り、担われました。それがこの裁きにとって必要不可欠のものだったからです。

そうです。キリストが、ご自身の苦難の先行きの詳細について何も「知らなかった」――このことは、その御業が完全であるために必要なことだった、のかもしれないのです。キリストはただ御父の御旨だけを知っておられ、そして、御父の用意された道筋はご存じなかった。そこにキリストの苦悩に満ちた沈黙があるのです。しかしそれこそ、キリストの御業が完全に輝くために、不可欠のことだったのかもしれません。キリストは自らを空しくされた。それはつまり、自らご自身を、他の事柄同様、知識においても、制約の下に服さしめたということです。カルヴァンが「聖餐におけるキリストの遍在」を語るために用いた神学の言葉を、私は「キリストの意識」に適応して用いてきました。それをここでも用いましょう。つまり「ここにキリストの全体があった。しかし、キリストの内にすべてがあったのではない」のです。

キリストは、すべてを知ることができたのに、そうされませんでした。このことによって、キリストの偉大なる御業から発する苦悶が脈動しています。キリストの神学によってその御業が引き出されたのではありません。超人的な服従と信頼の内にみられるキリストの道徳的人格があり、それが霊的淵源となって、その御業は引き出されたのです。

キリストは自ら進んで無知を選び取られました。聖なる全能の神であるキリストが同意して、何も知らない者となられました。それはなぜでしょうか。その答えの糸口は、キリストの沈黙の中にあったのかもしれません。

キリストの自己無化とキリストの超人的謙遜による勝利は、キリストが徹底的に自らを制約の中へ押し込めた、その現れでした。そしてそれこそ、受肉という出来事であったのです。キリストはその全能の意志によって、救いを達成するために必要なだけ、自らをむなしくされるために力を尽くされました。それがつまり、キリストの沈黙だったのではないでしょうか。

「知りたい」という命がけの思いを、明確な信頼によって抑制し、神学的には全く無知な者となり、信仰に頼ってキリストは黙従された。ご自身の道徳的服従が「どのようにして」償い救うのか、キリストは「明瞭に」は見通せないという事態を引き受けられた。それがつまり、キリストの沈黙だったのではないでしょうか。そしてそれだけが、キリストの確かさを保証しているのではないでしょうか。そして、神の聖性とその御国とその子どもたち（つまり人間）のために天の御父が必要としていたのは、まさにそのことだったのではないでしょうか。
キリストがすべてを見通していたら、キリストはほとんど苦しむことができなかったでしょう。キリストが、その苦しみの時に、その悲しみのすべての意味と効力を、微に入り細を穿《うが》って知っていたら、どうでしょうか。そうなっていたら、本来は救いと共にのみやってくるはずだったあの「栄光」の内に、キリストの悲しみは消滅してしまわざるを得なかったでしょう。その「栄光」はあくまでも、この世界の悲しみの深い底にまでキリストが潜んで、その深みから逆に上ってくる時のものであったはずなのですから。知識の木は、命の木ではではないのです。

キリストの沈黙は、苦い悲しみの盃から流れ出てきたものです。すべてを見通している者には、苦しみなどありません。苦しみを叫ぶことは、幾分かでも、苦しみから逃れることです。誰かに苦しい胸の裡《うち》を打ち明ければ、苦しみは和らぐのです。孤立したまま死ぬことこそ、死の中の死というものです。沈黙は悲しみの中の悲しみです。沈黙は死よりもさらに深く魂をえぐります。福音書は救い主が「真に死んだ」ということを、その沈黙をもって語ります。「救い主は徹底的に苦しんだ」「救い主は何も知らなかった」「救い主は孤独であった」「救い主は暗黒の中で確信を持っていた」「救い主は信頼していた」「救い主は完全な服従を示した」ということを、福音書は沈黙によって私たちに伝えているのです。

キリストの人生の短さは、その偉大さの一部となっています。それと同様のことが、聖書にも見られます。つまり、福音書には欠けがあるのですが、その欠けによって、福音書はより一層、その完全性において偉大なものとなりました。福音書の欠けは、福音書が完璧であることの一部となっているのです。それは救い主の姿をそのまま反映しています。救い主の沈黙と、聖書の沈黙と、その両方ともに、天の御父が隠れてしまったという恐るべき沈黙に照応《しょうおう》［一つのものと他のものとが、相応じて照らし合うこと。］しています。その沈黙において、贖いの業が頂点に達する未来が反映しています。また同時に、その沈黙において、聖なる服従と死にまで至る信頼という最終的で最悪の試練が反映しています。

そこにあったのは天の御父の怒りではありません。御父の聖なる愛でした。それは言葉で語ることができず、目に見ることができず、その御業によってのみ誇示せられ、復活によって明示されました。ただ沈黙よってのみ、キリストの愛は語られたのです。それは最終的には「御業」と神秘の死によって示されました。それと同じく、神はただ沈黙のうちにお応えになります。それは死から御子を引き上げるという神秘の「御業」によって示されたのです。

この御父の聖なる愛は、死の中にある御子を慰めることよりさらに大いなるものとなりました。なぜなら、この聖なる愛は御子を、死の中でも最も荒涼とした場所から引き上げたのですから。そしてまた、この聖なる愛は御子を、慰めがない死から引き上げたのですから。そしてさらに、この聖なる愛は御子を、死の中の死、死が持ちうる最も鋭い棘、最悪の力の中から引き上げたのですから。深淵は深淵に向かって呼びかけた。死を選んだ御旨は、沈黙の聖歌隊の中に再び御子を立ち上がらせんとする御旨を呼び出した。この沈黙の聖歌隊は霊的世界の均衡と秩序を永遠に確立した――そうしたことが、十字架において起こったのです。

このように考えてみれば、天の御父の恵みのコストあるいは天の御父の苦悶について多くを語ることが、私たちの「救いの主」たる方にとって、まったくふさわしくないのだと、はっきりお分かりいただけますでしょう。ですから、「救われた人」こそ、そうしたことを多く語るべきなのです。そして「教会」こそ、天の御父の恵みをいつも喜び楽しむのみならず、それを顕彰するにはどうすればよいか、よく考える場所となるはずなのです。その神秘は私たちに測り知れないものです。しかしその中の理解可能な意味について、私たちは何としても獲得してゆかなければなりません。聖なるものと向き合ったときに、罪がどんなに重いものとなるのか。恵みの聖なる法を巡る愛の熱心と向き合ったときに、罪がどんなに重いものとなるのか。私たちはそれを知らなければなりません。それは救い主の恵みを拝するために、必要なのです。

教会は聖霊から離れ、福音書が教えるところから退いてしまっています。しかしそれは、巷間言われているように「罪の重みを測る努力をしたため」ではありません。事実はその逆なのです。確かに、教会は遠くまで迷い出てしまうことがある、かもしれません。ですから、ゲーテすら、こう言っていたことを思い出しましょう――「教会は十字架のもとでコンパスを調整しなければならない」。

「十字架」が与える印象は、大きいものです。しかし、それだけで教会は満足できません。「十字架」には宗教的効果があります。しかし、その為だけに十字架があるのではありません。「十字架」において、教会は道徳的態度を獲得し、教会は神の道徳世界とその権威を発見する。「十字架」から、教会は人間の良心を再建して行く。「十字架」の言葉と啓示そしてその本質が、それらの基本となるのです。「十字架」を表現する音曲もあるでしょう。その効果も大きなものです。しかし、それだけでは、全く足りないのです。「十字架」の本質にこだわり過ぎたから、教会はおかしくなってしまったのでしょうか。そんなはずはないのです。あるいは、もしそうだとするなら、教会には聖霊がいないのでしょう。あるいは、もしそうだとするなら、キリストの御業とその本質にみなぎる力に、教会の中にいます聖霊は背いている、ということになるのでしょう。

IX

「神は天の父である」と私たちが言う時、もしそれが、何の特別の苦労もなしに「神が私たち罪びとの父である」と言っているとすれば、それは、あまりにも神を小さなものとしていることになります。例えば「神の聖性に相応《ふさわ》しいものとしては、私たちの後悔の念以上のものはない」とか、「神が神ご自身の聖性をどこかへやってしまうなら、神の愛は信頼に値する」とか、「神の本質から出る要求は無視して初めて、神はご自分の内にある愛情をお示しになる」とか、そうしたことが「私たち罪びとの天の父」という言葉を使う時にイメージされるとしたら、それは、神をあまりに矮小化していることになります。

あるいは、キリストの御業の完成が御父の恵みの源泉であり原因であると考えてしまうこともあるかもしれません。そうするとき、やはり「父なる神」という言葉は、とても浅薄なものとなります。事実は逆なのです。つまり、キリストの御業の完成は、神の恵みの果実なのです。

同様に、「罪のゆるし」が神にとってどれほどの負担であるかを語るあまり、神の「恵みの中の恵み」について、よくわからなくなってしまって、その満ち足りたさま、自由であること、その魅力、優美さ、忍耐、さらには私たちにお示しになるその雅量を見失うなら、やはり、「父なる神」という言葉によって私たちは、神を小さくしてしまうことになるでしょう。

実に、神ご自身のすべてと、キリストの満ち満ちた姿、この二つが「父なる神」という聖名の中に隠されているのです。それを十分に言い表すことは、人間の手に余ることです。この聖名の中に、神そのものの本質とその全体がある。そしてこの聖名の中に、人間の救いの源泉がある。「父なる神」という聖名には愛の荘厳さがある。そこには救い主が苦しみ流した血潮の重みがある。そこには、人間のために刻まれた傷が、人間の魂の内に、赤々と円熟して残されている。「父なる神」——これは、私たちの魂のすべてを満たす神の、そのすべてを言い表す言葉として、至上のものです。

そして「聖なる父」という言葉があります。この言葉の中で、ヒューマニズムをはるかに超えて、人間ということが確保されます。この言葉の中で、キリストという言葉をはるかに超えて、超人ということが確保されます。すべてを浄化する大海の暖流のように、この言葉は世界を大きく包む。「聖なる父」という言葉は、下は地にある恐怖や嫌悪に届き、上に天の終わりなき微笑を照り返す。それはまさに、キーツが美しく歌った通りに——

祭司のように働きながら　波が
浜辺に寄せるように　人の間を巡る
（ジョン・キーツ「ブライト・スター」）

「聖なる父」という神の名を巡る真理が、この詩情に込められています。この真理を単純化することはできません。この真理を探究し尽くすこともできない。この聖名には最も深く最も懐かしい味わいがあります。子どもにも、娘たちにも、そして大人たちにも、その聖名は響き届きます。最も優しく、最も厳しく、最も広く、最も崇高な聖名。私たちの最も人間らしい部分にその聖名は届きます。そして、その「最も人間らしい部分」こそが、最も神に近いと知らせるのが、この聖名なのです。

私たちの最も人間らしい部分とは何でしょうか。それは家庭生活にあります。土地に生きる生活にあります。人間として生きる生活にあります。教会と神の国に生きる生活にあります。私たちの最も人間らしい部分とは、私たちの行動にあり、それを生み出す情動［全体的表出を伴うような、一時的で急激な感情の動き。情緒。］にあり、それを支える良心にあるのです。私たちの人間としてのつながりと互いに負い合う義務の中に、私たちの最も人間らしい部分がある。私たちは確かに、優しくも英雄的に、互いにつながり支え合っています。それは今、私たちの内に見出される神のモノグラム［文字を組み合わせて作る図案。絵画のサインや印鑑、商標などに使われる。］を生み出しています。人間は大切にし合い、手当てをし合い、恵みを分け合って献身的に奉仕しています。そのようにして人間は、その雄大さを示し、畏れかしこみつつ人生を喜ぶのです。

「聖なる父」という神の名が響くとき、上記に列挙した私たちの「最も人間らしい部分」が新しくされます。その時、依然としてそれらはその神聖な性質を保持したままに、いよいよ私たちの必要に応えるものとなります。それらは最も聖なるものとなり、そして同時に、最も人間らしいものとなるのです。

父、母、妻、子ども、恋人、そして娘たち――これらの言葉に、私たちは物語を感じます。世界はこの物語に飽きたことがありません。恋人たちは果樹園の塀のそばで心ときめかせて囁き合い、初めての子どもが天逝《ようせい》［年が若くして亡くなること。］した時には涙を流し、愛が覚めれば仲たがいして顔を会わせることもなくなり、あるいは、その生涯の最後に土色の遺体となって共に青山《せいざん》のふもとに眠る。こうした事柄に、私たちは尽きない関心を寄せます。人類の思い煩いと犯罪とを数世紀にわたって積み上げたとしても、なお、こうした事柄に寄せる人の思いの方が、はるかに多いことでしょう。人類の歴史には、愚行と騒擾《そうじょう》と罪悪と、地上での勝利と、栄光と失敗と、熱狂と冷えた忘却があります。しかしそれらのどれよりも、人情味溢れる一人一人の物語の方が、息長く生き永らえます。それだけではありません。人間一人一人が誰かと繋がりつつ紡ぎあげる物語は、神の中にあって永遠となっているのです。それは神の内にあって、キリストに守られて、いつまでも存続します。永遠とはそもそも、スポンジを絞って人間の心に振りかけるようなものではないのです。私たちの大いなる情熱は、父なる神の救おうとする情熱を象徴している聖餐卓の下にある。そこで、すべてのでこぼこ道はまっすぐになり、すべてが通りよくなるのです［イザヤ書40章3節以下 呼びかける声がある。主のために、荒れ野に道を備え／わたしたちの神のために、荒れ地に広い道を通せ谷はすべて身を起こし、山と丘は身を低くせよ。険しい道は平らに、狭い道は広い谷となれ。］。

「キリストの聖なる父」を信じる私たちにとって、愛は、ペシミストが語るようなものではありません。あるいは、自然界に見られるようなものでもないのです。自然界において、愛とは各個体を騙して種の保存へと促す詐術に他ならない、とされます。そのような愛は「キリストの聖なる父」を自分の「父なる神」と信じる私たちの愛とは全く違うのです。私たちにとって、愛は永遠につながっています。私たちは、短い人生の中で、情熱を愛情へと変換し、その愛情を道徳的価値へと変換しています。そのようにして、情熱は霊的なものとなり、聖なるものとなっているのです。私たちの短い人生が、そのようにするならば、永遠は私たちの情熱をどのように変えることでしょうか！

人生がこれらのことを明かにしている以上、死がこれらのことを明かにしないはずがないでしょう。人生がこのように神の聖なることを称えている以上、神が自らご自身の聖なることを明らかにするとしたら、どれだけはっきりそれは示されることでしょう！

私たちの間にある愛と絆は死に絶えることがありません。そこに流れているのは、神ご自身のいのちそのものなのです。私たちの間にある愛と絆は、神を「私たちの父」とはしません。しかし聖なる父は、愛と絆を数千倍にします。そのようにして増幅された愛と絆は、互いに永遠に反響し続けます。その響きこそ御霊です。それは清き終わりなき川の流れのようなせせらぎを響かせる鼓動のささやきです。神の国を喜ばせる声です。音楽がいっぱいに溢れた響きそのものです。

私たちの最初の愛と最後の愛、そこにあった若い夢と老境の悲しみ――それらは、私た

表面に ご住所・ご氏名等ご記入の上ご投函ください。

●今回お買い上げいただいた本の書名をご記入ください。
書名：

●この本を何でお知りになりましたか？
1. 新聞広告（　　　　）2. 雑誌広告（　　　　）3. 書評（　　　　）
4. 書店で見て（　　　　　書店）5. 知人・友人等に薦められて
6. Facebook や小社ホームページ等を見て（　　　　　　　）

●ご購読ありがとうございます。
ご意見、ご感想などございましたらお書きくださればさいわいです。
また、読んでみたいジャンルや書いていただきたい著者の方のお名前。

・新刊やイベントをご案内するヨベル・ニュースレター（E メール配信・不定期）をご希望の方にはお送りいたします。
（配信を希望する／希望しない）

・よろしければご関心のジャンルをお知らせください
（哲学・思想／宗教／心理／社会科学／社会ノンフィクション／教育／歴史／文学／自然科学／芸術／生活／語学／その他（　　　　　　）

・小社へのご要望等ございましたらコメントをお願いします。

自費出版の手引き「**本を出版したい方へ**」を差し上げております。
興味のある方は送付させていただきます。
資料「**本を出版したい方へ**」が（必要　　必要ない）

見積（無料）など本造りに関するご相談を承っております。お気軽にご相談いただければ幸いです。

＊上記の個人情報に関しては、小社の御案内以外には使用いたしません。

郵便はがき

恐縮ですが
切手を
お貼りください

113 - 0033

東京都文京区本郷 4-1-1-5F

株式会社ヨベル YOBEL Inc. 行

ご住所・ご氏名等ご記入の上ご投函ください。

ご氏名：　（　　歳）

ご職業：

所属団体名（会社、学校等）：

ご住所：（〒　　-　　）

電話（または携帯電話）：　（　　）

e-mail：

ちのアルファでありオメガである方、永遠の御父、聖なる救い主の内に、永遠のものとなります。ここにこそ、聖人が生み出される源泉があります。そこから生まれる聖人とは、人間そのものに伴侶のように同伴し、世界こそを自らの教区と見立て、その人生を捨てて縁もゆかりもなく感謝もしない悪人たちのために尽くし抜く人です。

「聖なる父」という聖名を見てください！　この言葉には「人の手で造ったものではない神が家にいて下さる」ということが含意されています。人間の愛情あふれる思いの中に正義を貫徹させる、そんな支配者がイメージされています。社会的福音が語る社会的神がそこに示されています。家庭と社会を永遠のものとして神ご自身の内に確立する、そんな勝利者としての姿が、この「聖なる父」という言葉の中にイメージされています。愛すること、失うこと、父であること、母であること、妻であること、寡婦であること、家庭、故郷、そして、これらすべてを放棄するようなヒロイズム——それらはすべて、天において永遠となりました。それらは永遠の御父の懐で終わりなきものとなりました。その御子とは、その御子・永遠の御子を、ひとたびは喪った御父です。そしてその御子とは、その御父から、ひとたびは棄てられ孤児となった御子です。ここに聖なる愛があります。ここに、私たちの時代が必要としているものがあります。私たちの時代は過剰に感傷的になりました。その病を矯正するために、私たちはこの聖なる愛を必要としています。

今日ほど、人間の慈悲と愛情が重んじられている時代はありませんでした。それでも、太古の昔から終わりなく存在する神の愛に十分相応しいほどに重要で崇高さを帯びた時代は、今も、未来においても、遂に訪れることはないでしょう。人類の中には、聖なる永遠の御父の恩恵を表す、たった一つのイメージがあるだけです。それはイエスの聖なる御顔《みかお》です。そしてそれは、十字架にかけられたときのイエスそのものです。

十字架の事件は「なぜ」起こったのでしょうか。「誰かが失われたから」だけではありません。「神が愛だから」だけでもない。それらに加えて「御父が聖なる方だから」十字架の事件は起こったのです。聖性こそ、愛の目的です。神が聖なる方であるから、「神が父である」ということに無尽蔵の価値があるのです。神が聖なる方であるから、私たちの愛も絶えることがないのです。神が聖なる方であること。このことが神の愛の内にあるのです。このことが愛の土台を据え愛を保証します。神の聖性が、愛を永遠のものとするのです。

　神の聖性が失敗に終わることがない以上、愛も失敗に終わることはありません。聖性は閉じ込められることなどあり得ないから、愛は消えることがあり得ないのです。聖性の求めに応じて、キリストは死ななければなりませんでした。その求めが完全に満たされたので、私たちが唯一の頼りと期待する愛の保証は、もはや死ぬことはなくなりました。

　もし神がその聖性を軽視したとしたら、神が愛を軽視しないと信ずる根拠を、私たちはどこに見出せるでしょうか。しかし、神はその御子をも惜しまずに死に渡されました。その神がどうして、あらゆるものを私たちのためにお与えにならないはずがありましょうか。とりわけ、愛にとってどうしても必要な物のすべてを、神が私たちに併せてお与えにならないはずがありましょうか［ローマの信徒への手紙8：32］。

　現代以上に優しさを大切にする時代はなかったでしょう。もし、今私たちが十字架を見てその背後を読み取ろうとするなら、しかも、そこにただ何かを感じ取ろうとする以上の観察をしてみるなら、御父の心中には「建徳的な」優しさがあることを見出すことでしょう。それは「憐み」とは比べ物にならないほど大きなものであり、「共に涙を流し慰める」

以上のこと、あるいは、「助ける」ということ以上のことが、十字架にあります。そこにはゆるしがある。そのゆるしの中で和解しゆるす一人の人がいる。十字架の奥には、そうしたすべてがあるのです。

今日、私たちは、「moral ＝道徳／建徳性」を帯びた優しさの中から、新しい深みを見出し学ばなければなりません。そこに恩恵の魂を見出さなければなりません。それは「聖なる親切」と言うべきものです。それは和解の源となります。

十字架には大いなるものがあります。この地球には荘厳さがあり、自己犠牲があり、敬虔さがあり、悲しみがあり、そして悲劇を伴った浄化があります。それらは地上にある「建徳的な威厳」そのものです。しかし、それ以上のものが十字架にあるのです。十字架は永遠の救いを歴史の中に持ち来ります。

今日、私たちは、かつてないほどに「子をもつ父」という言葉の意味を理解するようになりました。あるいはもしかすると、「放蕩息子の父」を信じることが出来る準備を、実にここまで整えることが出来たのは、歴史上、初めてのことかもしれません。そうであれば、なるほど「救い主の御父」ということを理解した先に、いったいどんな未来が展開し得るのかについて、今日ほど深く把握することができる時代は、かつて一度もなかったとも思われてくるのです。

「子どものような弱さを父親の目線で見てくださる慈愛深い神」について、実に美しく、私たちは理解しています。そこからもう一歩を踏み出して、例えばコヴェントリー・パトモア〔ラファエロ前派の詩人 Coventry Patmore,1823-1896〕が詩に表したような境地に到達したいものです。ある夜、パトモアは息子を厳しく叱り、そしてその寝室に寝かせました。「その息子の母親は、病を得て、他界していた」のでした。パトモアは心痛に耐えかね、息子の様子を見に寝室へ行きます。息子はよく眠っていた。息子の周りにはこまごましたおもちゃが——ポケットに入っていたものでしょうか——無造作に散らばっていた。それらが息子を慰めていたのでしょう。

それで、私はその夜に祈った
神に向かって　涙を流して。

「あぁ！　遂に私が倒れ伏す時、
　死の床にあってなお
御心を煩わせませんように。
その時　玩具に　目をとめ給え
慰めになれ　と　作ったものです。
あなたの偉大なみ教えを
私の小さな心では
　理解も何も　できなかった――
父ではあるが　私はただの
あなたが泥から作ったものです
あなたはさらに　大いなる父
あなたの怒りをどこかにやって
聞かせてください　あなたの言葉
『あわれもう　この子どもっぽさを』

そんなあなたの　優しい言葉を。」

なんと甘く、しかし痛点を伴うペーソスでしょう。ここに、「神の弱い子どもたち」へ向けられた「神の憐み」が、十分鋭く、十分優雅に、表現されています。ここには私たちの心を溶かす詩情があります。これこそまさに、詩聖の作と言うべきでしょう。

しかし、これよりもさらに深く、さらに優雅なものがあるのです。それは、放蕩息子への神の恩恵です。神に反逆する人々への神の恵みです。「われこそ我みづからの故により汝の咎を消し汝の罪を心に留めざるなれ」［イザヤ書43章25節］とある通りに。ここに私たちは平身低頭せざるを得ない思いを抱きます。そうして私たちは、聖所へと誘われるのです。

しかしさらに、神は私たちを導き、聖所の先にある至聖所へと進ませます。最も深く、最も優美で、最も高貴で、最も輝き、最も鎮まった、永遠の喜びが、そこにある――それは、罪が溢れている十字架の上で従順を貫いた聖なる御子の内にある御父の喜びなのです。

その喜びは、御父ご自身の聖なる愛です。神はご自身を祝し給います。ここに、神の愛の唯一の姿があるのです。

ここに、あらゆる思想、あらゆる詩、あらゆる聖句、あらゆる説教を、はるかに凌駕する神の喜びがあります。この力に満ちた喜びの内に、神はご自身を現わし、言葉から言葉へと反響させてお示しになるのです。神はこの喜びを、ただ、キリストの御業の内に発信されます。聖なる霊によって死からよみがえられたキリストの御業が、この喜びの発信源となる。言葉はそれを響かせる器となる。御子の大いなる御業を、神はさらに大いなる応答をもって受け給いました。深淵なる問いは、深淵なる答えを引き出しました。そこに満ちていた同じ聖霊の力と沈黙の内にあるならば、私たちも遂に、この神の喜びを感じ、それを拝することができるでしょう。

神が我々を失い給いませんように。そうではなくて、神が私たちをいよいよ熱く燃やし、消尽されることのない者とし、確実で、賢実な、仁実で、堅実な者としてくださいますように。

[訳者註②]

フォーサイスにおけるイエスとパウロ

本文92頁に関連し、1890年代の神学状況を背景にした『聖なる父』を理解するために、以下に小論をまとめる。

その概要は以下の通りである。

まず、1880年代初頭にフォーサイスが記した論文から、当時の新約聖書神学についてのフォーサイスの理解とその批判をまとめる。これは「初期フォーサイス」の最終段階を取り出す議論となる。そこでフォーサイスが主に取り扱うのはプフライデラー［Pfleiderer, Otto, 1804–1989］とブーヴィエ［Bouvier, Augste, 1826-1893］である。

次に、1900年以降の「フォーサイス神学の到達点」において交わされた討論から、「キリストの宗教」を巡る議論をまとめる。この「到達点」は、1896年の「聖なる父」において明確に示されたものである。そこではフォーサイスの贖罪論がはっきりと明示される。

1　初期フォーサイスと新約聖書神学

1883年から1884年にかけて、フォーサイスはパウロ書簡を取り扱った欧州大陸の著作を取り上げ、書評を行っている。フォーサイス最初期の贖罪論の一端が、ここから把握される。そしてそこから、「神学」の発展が「十字架」を軸として為されるべきとのフォーサイスの主張が知られる。そしてさらに、その発展は社会の救済へと向かうべきとの主張が読み取れる。以下に見て行く。

A　パウロと「キリスト教の発生学」

1883年1月、フォーサイスは雑誌『現代評論』[1]上に二つの書評を発表する。一つは「聖パウロの教理に対するプフライデラーの見解」[2]と題した、1887年に英訳が出版されたプフライデラーの著『パウロ主義：原始キリスト教神学史への貢献』[3]への書評。もう一つは「ブーヴィエ教授の議論」[4]と題し、ブーヴィエの1868年の著『使徒による神：新約聖書の書簡に関する十二論文』[5]と1882年の著『信仰と自由の言葉』[6]への書評である。評者名の表記から推察するに、この二冊への書評は妻マリアとの共作であるらしい。さらにもう一度、フォーサイスは１８８４年に再度、１８８２年のブーヴィエの著『信仰と自由の言葉』を書評に採り上げている。[7] この三つの書評から、「教理の発展」に関するフォーサイスの理解を、我々は知ることができる。

「聖パウロの教理に対するプフライデラーの見解」の冒頭、フォーサイスはコント［Comte, Isidore Auguste Marie François Xavier, 1798-1857］的実証主義の主張を取り上げて以下のように議論を始める。

> 「パウロがキリスト教の真の創設者だ」という雑駁な議論が多く流布している。これは実証主義者の好む議論であって、実証主義者たちにとっては充分得心のいく主張である。福音書のキリスト教と比較してみると、カトリック教会と中世キリスト教の形式（コントが知っていたのはこれだけであろう）からこうした印象を受けることは容易に想像が付く。「コントが人文科学の創設者だ」と言うのと同じ程度、この議論は正しい。[8]

フォーサイスは「人間的に言えば」という留保つきで、「パウロがキリスト教の真の創設者だ」という主張を認める。その上でフォーサイスは次のように議論を進める。それでは、パウロはどのようにしてキリスト教を「創設」したのか。パウロは自らの神学と使命について、「それが何に由来するか」を雄弁に語っているが、「それをどのように継承したのか」について寡黙である。一体、パウロの教理はどのように形成されたのか。フォーサイスはバウアー［Baur, Ferdinand Christian, 1792-1860］を引用しつつ以下のように語る。

「教理についての真の批評学は教理の歴史である」とバウアーは言った。この言葉は最上級の真理である。過去の教理をあたかも死んだ機械のように扱うことは、今や時間の浪費であり、摂理を侮辱することに他ならない。ある人々は教理を迷信のように扱っているが、教理は迷信ではない。教理とは合理的魂と共存する活きた被造物なのだ。信仰の苦闘の中においで存在すべく、教理は成長し変化する力を有している。(9)

フォーサイスにとって、教理とはすべからく生成変化すべきものである。但し、その「変化」はダーウィニズム的発生学とは区別される。以下の通りである。

ダーウィニズムは科学としての発生学［the science of embryology］を生み出した、と言って差し支えないだろう。少なくとも、ダーウィニズムは発生学に並外れた興味を寄せ、その結果多くの人が豊かな関心を発生学に向けるようになった。このダーウィニズムに避け難く含蓄される事項を、当該の問題に当てはめてみよう。教理の発展に関する科学的研究は、創造的な霊がその教理を世界に胚胎させる時期を度外視することはできない。キリスト教神学の起源としてのユダヤ教とプラトン哲学について、我々は非常に多くの議論を重ねてきた。［中略］しかしながら、結局のところ、これらのものは最も魅惑的な「福音ノ備エ[preparatio evangelica]」ではない。パウロのような人の巨大で激烈な魂における静かで劇的な、否、悲劇的な過程の中で蒸留してくる「備え」に比べれば、その魅力と関心を惹起する力において、これらの起源は比べ物にもならない[10]。

フォーサイスは「信仰の発生学」の長所と短所を指摘する。フォーサイスによると、長所とは、「過去の教義への新しい活発な関心」を惹起することであり、短所とは、「霊感と啓示の概念」を大きく変更してしまうことだという。

パウロ個人が得た「霊感と啓示」に、フォーサイスは注目する。この「霊感と啓示」故に、パウロの言葉は、その独自性にも拘らず、尚「使徒のモザイク」が持つ多様性の一つとして理解され得る、とフォーサイスは言う。そしてこの「霊感と啓示」は「パウロの本質」から知られるものとされ、従ってここで「パウロの回心」が問題とされることになる[11]。

B 「十字架につけられたメシア」

バウアーが立ち上げ、ホルステン［Holsten, Carl, 1825-1897］が継承したパウロ研究を批判克服した者として、フォーサイスはプフライデラーを位置づける。(12) フォーサイスの理解に従って言えば、プフライデラーは「パウロの回心」を「パウロの福音」に見出す。そしてその鍵は「十字架につけられたメシア」であるという。このメシア理解こそ、パウロが初めて確立した教理であるとフォーサイスは言う。

パリサイ派のみならず、使徒たちとユダヤ人キリスト者にとっても、一般的に言って、このメシア理解がどれほど砂を噛むような居心地の悪いものであったか。これは我々になかなか理解し難い所だ。パリサイ派・使徒たち・ユダヤ人キリスト者は、十字架を誇りとしなかった。彼らは十字架を軽視した。キリストは彼らにとってメシアであったが、それは「十字架の故に」ではなく、「十字架にも拘らず」そうだった。使徒行伝に記載された最初の使徒たちの説教において、十字架それ自体には、救いの効力が認められていない。しかしパウロにとっては、「十字架にも拘らず」ではなく「十字架の故に」、イエスはメシアであった。パウロは十字架を軽視しなかった。パウロは十字架を強調した。十字架はパウロにとって第一義的な事柄となった。パウロ以外の人々にとっては、十字架は第二義的なものであったのに。〔中略〕十字架はパウロの福音の中心点であったのだ。[13]

フォーサイスは、「パウロの回心とパウロの福音の両方にとって、苦しむメシア、十字架につけられたメシアがマスター・キーである[14]」とするプフライデラーの見立てに同意する。フォーサイスによると、プフライデラーはこの「マスター・キー」を中心にパウロ神学が展開すると見ている。フォーサイスはこの見立てに長所と短所を見出す。

プフライデラーのパウロ理解の長所は、「回顧の合成という方法論」によって神学を再審に付す点にある、と、フォーサイスは見立てる。

先ず、「回顧の合成という方法論」とは何か。フォーサイスは以下のように説明する。

プフライデラーは、パウロの偉大なる信仰の起源を説明する際、回顧の合成［compound reflection］という方法論を採用する。これは、使徒の持つキリスト教的良心の知的投影・反映としてパウロの神学を理解する、ということだけを意味しない。そのことを含意した上で、しかし次のような特別な意味合いをも持っている――すなわち、結論から遡り、新しい前提へと考えを至らせる習慣を、使徒が持っていた、ということである。この「新しい前提」は、当初パウロが持っていたものに対して、多かれ少なかれ不調和なものとなる。[15]

すなわち、「十字架につけられたメシア」という理解に基づき、既存の神学諸理論を再構成し直して行くというのが、プフライデラーの「回顧の合成という方法論」である。その具体例を、フォーサイスは「キリストの先在」の教理を採り上げて説明する。

パウロの到達点[terminus ad quem]がパウロ神学の論理的根拠[teminus a quo]となる。例えば、キリストの先在について、パウロの信仰は次のような過程を辿る。先ず、今現在における「栄光を受けたキリスト[glorified Christ]」から出発する。そして永遠の未来における「栄光のキリスト[glorious Christ]」を結論付ける。さらにそれから反転して、永遠の過去全てにおける「キリストの栄光[a Christ glorious]」を信じる信仰に至ることとなる。(16)

キリストの死を基点とし、既存の主観全てに再審をもたらし、神学的議論を再構築する。それがフォーサイスの理解するところの「回顧の合成」、すなわちプフライデラーの方法論であった。

プフライデラーは、パウロの神学の「マスター・キー」を「十字架につけられたメシア」に見、そこから「回顧の合成」という方法論を導出して、パウロ神学の生成過程を把握することに成功した——このようにフォーサイスは理解し、これを高く評価する。

しかし、その裏面には、「回顧の合成」故の問題点が生じていることも、フォーサイスは指摘する。問題は、「罪理解」を巡る理解の矛盾として具体的に顕在化する。これがフォーサイスの言う「プフライデラーのパウロ理解の短所」である。以下に述べる通りである。

もう一つの例を挙げよう。パウロは自らの罪経験に基づき、罪とは世界内の独立した力あるいは原理であると結論付けた。この結論が反転する。パウロ自身の経験の蓄積を超えて、否、人間の良心の経験知を超えて、人間全体に対置された客観的現実としての罪を、パウロは「アダム以前からの原理」と理解するに至る。つまり、それは最初の罪を突破口として世界の中へと「進入した」ものに過ぎない、とされてしまう。(17)

パウロが回心を得たのは、「世界内の力・原理としての罪」という罪理解に基づく。この理解に基づいて、パウロは「十字架につけられたメシア」を知った。しかし、「十字架につけられたメシア」という理解から遡って「罪理解」を再審に付すと、「世界内の力・原理としての罪」という理解は覆され、「アダム以前から」すなわち「人間の存在以前から存在する罪」という理解が導き出される。ここに矛盾が生じるというわけだ。

C　パウロ超克の可能性

既述したとおり、フォーサイスは「回顧の合成」という方法論が、パウロの理解に不調和をもたらすことを指摘していた[18]。この不調和を避け難く浮き彫りにしてしまう点が、プフライデラーのパウロ理解の短所である。

しかし、この「パウロの不調和」は過ちではないと、フォーサイスは言う。なぜなら、「調和」はパウロの神学言説上にではなく、パウロに神学をもたらす「啓示と霊感」にある、と理解できるからだと、フォーサイスは説明する。

そしてフォーサイスは、プフライデラーがこの「不調和」を無視していることに不満を表明する。フォーサイスはこの不調和にこそ注目するのである。

フォーサイスは「啓示と霊感」の関係理解に基づき、この不調和にこそ重要な可能性を見出す。フォーサイスは以下のように主張する。

我々はパウロの神学について、どの点においても最終的なもの、あるいは完成したものと見做す必要はない。そのように考えることは不可能である。完成した神学など、たとえそれが使徒のものであったとしても、それは永遠の観念の死骸である。キリスト・イエスにおいて人に与えられた神の愛による和解という活きた概念に対し、我々の時代の必要と思想により良く一致する哲学的形態を付与することは、充分可能だ。但し、パウロの業績を修正したりパウロの結論を退けたりする前に、パウロと同じくらい徹底して、あの中心概念をしっかりと握っていることにしよう。[19]

啓示が霊感の基準である。もしパウロが十字架を啓示と理解しているなら、この啓示によって霊感を受け続けて展開されるパウロの神学は、あるいは過去の自らの「霊感」に基づく理解との不調和を晒しつつ、今後も有機的に発展するはずである[20]——以上がフォーサイスの主張である。

ここで、フォーサイスは大胆にパウロを超克する可能性を述べている。

但し、その条件は「十字架」という「中心概念」に基づいての可能性である。すなわち、「十字架」という中心概念に基づき、「罪理解」を巡って提示される「不調和」の中に「調和」を見出す。ここには逆説がある。そしてここには、後に述べる、1906年の「到達点」において「罪理解」を巡りフォーサイスが示した神学の姿の先取りがある。

フォーサイスは「最近の神学においてパウロ主義が力を増している」ことを指摘しつつ、その結果として当然「パウロに欠落したもの、パウロの不調和」が拡大していることに注目し、それを「未来への希望」と解して以下のように将来への展望を述べる。

そしてここに、未来への希望が沢山ある。まず第一に押さえておかなければならないことがある。それは、パウロの神学に不調和が存在したとしても、その不調和をパウロ神学の発生学的起源であると見做す必要がないのと同様、その不調和によって神的起源に由来する我々の信仰を破壊する必要はない、ということだ。自然界のある部分とある部分が互いに不適合であるからといって、自然を神が創造されたという信仰が破壊されるわけではない。不調和や不適合は、最初の決定を超えて働く神の業、我々の時代に即した神の働きの遅れによってもたらされているだけのことだ。あるいは、神無しの恐ろしい破滅的な定義から、神を解き放つことだけのことだ。あるいは、創造者を我々のすぐ近くまで連れてくるだけのことだ。あるいは、我々が最初信じた時よりも一層、我々の救いの神を我々に近づけるだけのことだ。そして第二に押さえておかなければならないことがある。それは、ただ聖書的にばかりでなく、合理的に神学を構成する役割が、思想に割り与えられる、ということだ。我々は反復を止めて発展を期待できるかもしれない。つまり、自らの信仰を語ろうとするキリスト教的意識における、最初の膨大な、しかしながら不完全な努力を、我々は、拡大した規模で発展させることができるかもしれない。我々は「使徒の無謬性」とい

う重荷を捨て、卓越した使徒的洞察を継承できるかもしれない。(21)

「十字架」という中心に基づき、パウロを超えてなお展開する教理。このフォーサイスの理解において、フォーサイスの「無規定な程に寛容な教会理解」が帰結するが、それはまた別の議論となる。

それでは、教理が「発展」するとして、それは何を目指して展開するのだろうか。フォーサイスはブーヴィエの書を評する中で、この問題に答えている。

D 「十字架」の位置

既述の通り、フォーサイスにとってパウロ神学は首尾一貫した堅固な体系ではなく、むしろ矛盾を孕む活きた思想であった。その思想を活きたものとする「啓示＝十字架」の故に、パウロ神学は現在に至るまで、パウロを超えて発展する可能性を秘めている。これがフォーサイスの理解であった。こうしたパウロ理解を充全に扱う神学者として、フォーサイスはブーヴィエを推薦する。

ブーヴィエ氏はジュネーヴの改革派教会の神学者である。彼は自らの優れた神学を、陳腐化させることなく人口に膾炙させている。ジュネーヴのアカデミー教授である同氏は、熱心な自由主義者として知られ、どこまでも建設的で感受性豊かな知性を有している。［中略］同時に、深い敬虔と実践的活動の人でもあり、時代の必要を嗅ぎ取るセンスに優れ、時代の必要に対して堂々たる対応をする人物でもある。(22)

ブーヴィエによると、キリスト教は「文学と物質主義」の両面から「時代の必要性」に応答するよう求められているという。「神と人の活きた関係」に基づく「真の霊性、つまり、キリスト教的自由」無しには、キリスト教は時代の要請に応えることができない。こうしたブーヴィエの主張(23)に対し、その神学に形而上学が欠けている、との批判が為されていることを、フォーサイスは指摘する。フォーサイスはこの批判を受けて以下のようにブーヴィエを擁護する。

確かに、そのような批判がまったく間違いだとするに足る根拠は、ことブーヴィエの著書の頁をめくる限り、なかなか見出せない。そしてパウロも、哲学的ではあるけれども、明示された文字面だけを見る限り、やはり形而上学者ではない。ブーヴィエ氏が述べる通り、賢くも（あるいは「素朴にも」と言うべきか）三位一体論について、パウロはこれを留保している。願わくば、ブーヴィエ氏がパウロを取り扱う時に示す巧みで平易な力と、それを現代の人々に提示する際のその柔和な語り口を、神学者達が広く共有するようになればよいのだが。そうなれば、我々はもっと豊かになるだろう。どんな時も、良心の法廷に提出すべき身分証明書を必要としないのが、使徒たちである。しかし使徒たちにはブーヴィエのような解釈者が必要である。そして悲しいかな、その必要は満たされていない。(24)

形而上学的思考に欠けがあるブーヴィエこそ、パウロの解釈者として適任であるとして、フォーサイスはブーヴィエを推薦する。それではブーヴィエの理解するパウロ神学の特徴とは何か。フォーサイスはブーヴィエのパウロ神学理解の特徴を「キリストの勝利」に見る。

ブーヴィエ氏はキリストの復活という事実を堅く握り締め、キリストの継続する臨在と導きを確信している。一方で、ブーヴィエ氏は十字架上の死体がどうなったのかについて興味がないと言っている。氏にとって、キリストの死は肉体を乗り越えた勝利の完成であったのだ。そしてこの勝利を、氏は「ローマ人への手紙」一章にある「肉欲による大罪」〔「ローマの信徒への手紙」1章24節〜32節を参照〕と鮮やかに結び付けた。(25)

この「勝利」故にブーヴィエは、例えばパウロの言う「永遠の刑罰」を「パウロの内に残った、時代的制約の未消化な残骸」と見做し、そしてこの「残骸」が「パウロの偉大なそして特徴的な教理である普遍的贖い」と無意識の内に齟齬している、と理解する。[26]

ブーヴィエのパウロ理解は、「キリストの勝利」によってパウロが「普遍的贖い」に到達したとする点に特徴がある。フォーサイスはこのブーヴィエの理解を以下の通り評価する。

ブーヴィエ氏は人類を統一体として取り扱おうとする使徒の姿勢を際立たせる。個人的救済を直接的・第一義的なものと見做すのは使徒の神学の誤用であるとしてこれを非難する。確かに、抽象的個人主義と抽象的超自然主義の間に位置づけられている限り、パウロ的キリスト教が有機的な連帯を求める現代の精神から信頼されないものと見做されるのは当然のことだ。[27]

「抽象的」でなく「具体的」なものとして「パウロ的キリスト教」を理解しなければ、「有機的連帯を求める現代の精神」に応えられない。ブーヴィエのパウロ理解はこの求めに応える可能性を秘めている。確かに、この「有機的連帯を求める現代の精神」に応えるべく、キリスト教側の様々な勢力も努力している。しかしその努力はあらぬ方向を目指したものとなっているとフォーサイスは理解する。

1884年の書評において、フォーサイスは以下のように現状を批判している。

形式主義［externalism］への情熱がある。そして、真の霊的進歩の活動が遅々としていることに我慢ならない思いがある。［中略］二つの実例を挙げよう。我々を必ず感動させ、急かし、騒々しく外へと向かわせ、我々の内なる人にとっては致命的な、二つの実例である。すなわち、社会主義者の福音と、ブース［Booth, William, 1829-1912］流の［救世軍的］福音だ。前者は、再生の代わりに再適合をもたらす福音であり、ある意味で「利己的なもの」としては不充分なものだ。後者は犠牲の福音でなく利己的な福音であって、「社会的なもの」としては不充分なものだ。そして両者共、物質主義的で暴力主義的な傾向を帯び、地獄の炎が近すぎて危ない。(28)

フォーサイスはブーヴィエと共に、一方の「救世軍的な教理」を強く否定し、他方の「キリスト教社会主義」の意義を認めると宣言する。ただし、「十字架の社会主義」が足りないと批判を加える。

もう充分キリスト教社会主義について聞かされた我々であるが、しかしながら、十字架の社会主義については、余りにも僅かしか聞かされていない。［中略］社会的パラダイスを求めて汗する多くの人々が都合よく無視している要素が一つある。それはキリストである。社会改革における誤り、あるいはその致命的な基調とは、まさしくブーヴィエ氏が中心として掲げたもの――すなわち、霊的な力――の欠如である。この霊的な力によって、自惚れの本質が制御され、変えられる。［中略］まさにブーヴィエ氏が次のように言う通りである。「大いなる社会的危機とは、堕落という危機的状況である。革命の時に比べ、堕落が進行する際は大きな騒ぎとはなり難い。しかし、社会的堕落はこの上もなく恐ろしい事態なのだ。」それでは新しい時代はどのようにしてやって来るのだろうか。「天才によってであろうか。確かにそれもあるだろう。しかし、むしろ確信の力と人民の意志によってこそ、新しい時代はやってくる。［中略］神の国は幾百万の手によって建て上げられるのだ。」[29]

「十字架の社会主義」によって「キリスト」を語り、天才ではなく名も無き人々の無数の力を結集して神の国を打建てなければならない。そのために、説教者は「道端、クラブ、呑み屋、そして毎日の食卓で議論される問題」を説教壇から語らなければならない。[30]

以上のようにブーヴィエから学んだフォーサイスは、キリストを社会へと繋げて行くために、まずは「キリストをキリスト教から解き放たなければならない」として、以下のように述べる。

キリストが社会を救う前に、我々はキリストをキリスト教から解き放ち、社会が贖われたに相応しく、キリストを贖い主としなければならない。我々の時代に特殊な解釈の力を以って、蓄積された伝統から救い主を助け出し、救い主を新約聖書の十字架が持つ輝かしい魅力の中へと移さなければならない。そうすることで、人々の上に臨むキリストの真の力・本来的な力がまっとうに働く。そうすることで、まだ古い秩序が支配する中にあっても、新しい秩序・より良い秩序の内にキリストの力が栄光で輝くことになる。我々の時代が宗教に求めるものは、社会的霊感と社会的絆である。実に多くの人々が、魂の救いに迂闊でありながら、なお社会の救いに対して情熱を傾けているではないか。[31]

永遠の刑罰で脅し、ひたすらに個人の救済に関心を向けさせる類の伝統的キリスト教に対し、フォーサイスは1884年の書評の後半で厳しい批判を展開する。[32] 上記の1883年の書評でフォーサイスが「キリスト教からキリストを解放する」と言う時の「キリスト教」とは、この「伝統的キリスト教」のことであろう。ブーヴィエがパウロ神学の中にある「永遠の刑罰」の理解を批判の対象としていたことも、[33] このあたりと消息を同じくする。

フォーサイスはブーヴィエと共に、「新約聖書の十字架」を現前させることで、キリストの力を社会に展開し、求められている「社会的絆」を提示せんとしている。フォーサイスが「十字架の社会主義」[34]と言う時、その意味する所は、おそらくここにあるのだろう。そしてここに、フォーサイスが「教会」を無規定な程に寛容なものとして捉え、あらゆる教理を「発展するもの」として暫定的な位置に留め置くことを主張した所以がある。一握りの天才ではなく無数の人々の手によって社会により良い秩序を新しくもたらす為に、フォーサイスはあらゆるキリスト教教理を相対化する必要を覚えたのだ。

そしてこの相対化は「新約聖書の十字架」を基盤として遂行される。ここに、初期フォーサイスにおける「十字架」の位置が知られる。

2　フォーサイス神学と「キリストの宗教」

1906年に、フォーサイスはマッキントッシュ〔Mackintosh, Robert, 1858-1933〕と贖罪論を巡って議論を交わした。その様子は記録され、1943年に公表された[35]。この記録から、初期フォーサイスから展開した「到達点」における「キリストの宗教」批判が窺われる。その特徴は「信仰義認を聖書の権威に先立てる」「書簡によって福音書を読む」「聖によって十字架を理解する」という三つの要点によって、「キリストの宗教」を超えて「贖罪論」を中心にする点にある。

A マッキントッシュの批判

マッキントッシュは、1906年当時の神学傾向についての指摘から議論を開始する。マッキントッシュによると、敬虔主義全盛の時代は遥かに過ぎ去り、現在、信仰義認に対する懐疑の念が、若い牧師たちの間に広がっているという。しかしそれでは結局、牧師達は「自ら破壊してしまった信仰を説教する」という倒錯した状態に陥らざるを得ないことになると、マッキントッシュは現下の神学傾向を批判する。[36] この現状分析とその評価についてフォーサイスが強い同意を表すると、マッキントッシュはフォーサイス神学を議論の俎上に載せる。

まずマッキントッシュはフォーサイスの基本的立場について以下の通り確認する。

我々は皆、二つに集約されるプロテスタンティズムの本質を語る定式について知っています。つまり、「信仰による義認」と「聖書の権威」という、二つの正式で重要な原理が存在するということです。おそらくフォーサイス博士の権威観というものは、言ってみれば、この二つの原理の一方(信仰による義認)によって両方の原理を一括りにしてしまおうとするもの、として理解されるものと思われます。[中略]宗教改革者達と同様、フォーサイス博士にとって、義とする信仰とはすなわち、まさしくキリストの贖いの死を（そしておそらくキリストの贖いの死だけを）罪人が自らの頼みの綱とする、そのような信仰のことを意味しているのでしょう。[37]

マッキントッシュによると、フォーサイスは信仰義認に過剰なまでの重心を掛けている為に、プロテスタントの伝統的主張程には聖書の権威を認めないのだろう、と推量する。

上述のマッキントッシュの推量に対し、フォーサイスはそれを「正しい」と認める。

続けてマッキントッシュは、フォーサイスがデニー〔Denney, Jannes, 1856-1917〕と贖罪論の内容をほぼ共有していることを指摘し、さらに、ハルナック〔Harnack, Adolf von, 1851-1930〕をフォーサイスが高く評価していることを指摘する。そして伝統的教義を堅守するデニーと、伝統的教義を手放したハルナックという、この正反対の両者を、フォーサイスがどのように総合しているのかと疑問を立てる。[38]

以上の疑問点を展開する形で、マッキントッシュは新約正典の統一の問題を採り上げる。新約正典には矛盾する二つの立場の並列が見られるとマッキントッシュは指摘する。すなわち、一方に、「ヤコブ書」や「福音書」が法的な道徳律を語るものとして存在し、他方にパウロの「書簡」がサクラメントとしての恩恵を語るものとして存在する。[39]

この両者の間にある矛盾は容易に解決しないと見るマッキントッシュは、「主の祈り」に代表される「キリストのキリスト教」こそ、この両者を調停するものであると理解する。すなわち、「キリストの信仰」を自らのものとして体験するキリスト教において、「パウロ」と「ヤコブ」の矛盾は解決すると、マッキントッシュは主張する。

B 「キリストの宗教」の問題

上述のマッキントッシュの主張に対し、「教会」が「キリストの信仰」を人に体験させる役割を持つことを付言した上で、フォーサイスは強い賛意を表する。(40)

しかし、マッキントッシュはここから自説の問題点を指摘し、フォーサイスの意見を求める。「キリストのキリスト教」を中心原理として考える時、「十字架」、つまりキリストの死の必然性に問題を感ずると、マッキントッシュは言う。解決をもたらすべき「キリストの宗教」が完全に現れた後に、つまり、ゲッセマネにおいて完全な信仰と従順と愛をキリストが神に表した後に、キリストは死ななければならなかった。このキリストの死が必然的なものであるとすると、道徳に対する法の優位が語られることになる。ここに、「贖罪論の困難」が生ずると、マッキントッシュは指摘する。

シェークスピアの戯曲「ヴェニスの商人」のシャイロックのように、どこまでも法に基づいてキリストの死を要求する冷酷な神の姿は、道徳の可能性を否定するものである。このことに困惑しつつ、マッキントッシュは、結局の所キリストの死を「我々の為の死」として信仰を以って受け容れる他無いのだと結論付ける。つまり、マッキントッシュにとって「贖罪論」とは解決不能の矛盾のままに残されるものとされる。(41)

フォーサイスは、このマッキントッシュの議論に足りないものを指摘する。フォーサイスが指摘するのは、「聖」についての理解である。

フォーサイスは先ず、「ヤコブ書」と「福音書」が語る法的道徳律と、パウロの「書簡」が語るサクラメント的恩恵の間の矛盾を解決不能と見做すマッキントッシュの正典理解を問題視する。

「聖書の権威」を措いて「信仰義認」を第一原理とする点に、フォーサイスの正典理解の要点がある。フォーサイスは、「ヤコブ書」や「福音書」は「書簡」によって意味を成すものであることを、慎重に、しかしはっきりと認める。

フォーサイスにおいては、「ヤコブ書」や「福音書」に見られる「法的な道徳律」は「書簡」に見られる「サクラメントとしての恩恵」を理解する為に読まれるべきものとされる。すなわち、フォーサイスにおいて、法的道徳律はサクラメント的恩恵に従属する、とされる。その上でさらに、「サクラメント的恩恵」の主張は「全てを成し遂げた神であるキリスト」を理解することによってもたらされた、と、フォーサイスは主張する。

これに対し、「パウロ的主張への序説としての他、キリストの言葉には何も意味が見出せないのだろうか」と問うマッキントッシュに応えて、フォーサイスは以下のように述べるのである。

このようなことを言っても、必ずしも誤解されるとは限らないと、そう考えて敢て言うならば、パウロはより一層パウロ的になって行ったのです――つまり、「預言者としてのキリスト」を見出し損なったパウロであればこそ、全てを成し遂げた真のキリストをまさに理解したということです。「寓話弁士［parablist］あるいは人徳者としてのキリスト」を見出すことは本質的に不可能事なのだ、ということを、パウロは身を以って示してくれたのではないでしょうか。つまり、私にはパウロがキリストの言葉や来歴について知らなかったとは思われないのですが、しかし、それらの情報はキリストを伝えるものではなかった、ということです。(42)

ここで言われる「全てを成し遂げた真のキリスト」とは、「ゲッセマネ」に止まらず「十字架の死」まで進んだ「キリスト」のことを指している。

C　フォーサイスの贖罪論

以上に基づき、フォーサイスは、十字架において道徳と法が決定的に齟齬矛盾するというマッキントッシュの議論に強く反論する。フォーサイスは、神の本質が「聖なる法」を求める「聖なる人格」であることを前提とすることで、「贖罪論の困難」は解決すると主張する。

フォーサイスは、まず「神の内」にキリストの死の必然性があり、この必然性が、十字架の死の必然性であった、とする。フォーサイスの説明はこうである。「神の聖」と「人間の罪」は完全に相容れない。この「人間の罪」を引き受ける為に、「人間の罪」の直中で神に見捨てられて死に果てるという「真のどん底［real nadir］」を、神がキリストにおいて引き受けた。この「どん底」とは、「人間の罪」と「神の聖」が剥き出しになる極点であり、ここにおいて啓示は徹底し、「神の本質」が完全に明らかにされる。ここに、キリストが「ゲッセマネ」を超えて「十字架」に至らなければならなかった必然性があった、と、フォーサイスは理解する。

従って、フォーサイスは「神の為の神の業」（「神が人間と和解する為」の「神の業」）こそ「十字架」であるという贖罪論を唱え、この「贖罪論」こそ道徳と法の両方が芽生える「胚［germ］」となる、と、フォーサイスは主張する。

以上の主張に立って、「十字架」とは「我々の為の神の業」と理解するマッキントッシュの贖罪論に、フォーサイスは異を唱える。(43)

フォーサイスは、「サクラメント的恩恵の法的道徳律に対する優位」を前提とし、その上で「道徳と法の矛盾」を「神の聖」によって解決する。すなわち、フォーサイスは「サクラメント的恩恵」というパウロの主張に「神の聖」の理解を読み取り、この理解によって十字架を理解し、「道徳と法」を矛盾なく理解するのである。これが「フォーサイスの贖罪論」である。

注

1 Modern Review, London : J. Clarke and Co. ; Manchester : John Heywood, 1880-1884.

2 Forsyth, "Pfleiderer's View of St. Paul's Doctrine," Modern Review, v. 3, Jan. 1883, pp. 81-96. 以下、Forsyth, "Pfleiderer's View of St. Paul's Doctrine." と略。

3 Otto Pfleiderer, Paulinism : a contribution to the history of primitive Christian theology, Vol.1: Exposition of St. Paul's doctrine, Vol.2: The history of Paulinism in the primitive church, translated by Edward Peters, London : Williams and Norgate, 1877. 原書は Der Paulinismus : ein Beitrag zur Geschichte der urchristlichen Theologie, Leipzig : Fues, 1873.

4 P. T. and M. Forsyth, "Discourses by Professor Bouvier," Modern Review, v. 3, Jan. 1883, pp. 410-413. 以下、Forsyth, "Discourses by Professor Bouvier." と略。

5 Auguste, Bouvier, Le Divin d'après les apôtres, Douze Discourses sur les Epîtres du nouveau testament, Geneve:

Cherbuliez, Paris: Fischbacher, 1868.

6 Auguste, Bouvier, Paroles de Foi et de Liberté, Paris: G. Fischbacher, 1882.

7 Forsyth, "Nouvelles Paroles de Foi et de Liberete'," Modern Review, v. 4, 1884, pp. 379-381. 以下、Forsyth, "Nouvelles Paroles de Foi et de Liberete'." と略。

8 Forsyth, "Pfleiderer's View of St. Paul's Doctrine," p. 81.

9 Forsyth, "Pfleiderer's View of St. Paul's Doctrine," p. 82.

10 Forsyth, "Pfleiderer's View of St. Paul's Doctrine," p. 83.

11 Forsyth, "Pfleiderer's View of St. Paul's Doctrine," pp. 84-85.

12 Forsyth, "Pfleiderer's View of St. Paul's Doctrine," pp. 86-87.

13 Forsyth, "Pfleiderer's View of St. Paul's Doctrine," pp. 88-89. 強調は川上による。

14 Forsyth, "Pfleiderer's View of St. Paul's Doctrine," p. 90.

15 Forsyth, "Pfleiderer's View of St. Paul's Doctrine," p. 90.

16 Forsyth, "Pfleiderer's View of St. Paul's Doctrine," p. 92.

17 Forsyth, "Pfleiderer's View of St. Paul's Doctrine," p. 92.

18 Forsyth, "Pfleiderer's View of St. Paul's Doctrine," p. 90.

19 Forsyth, "Pfleiderer's View of St. Paul's Doctrine," p. 95.

20 Forsyth, "Pfleiderer's View of St. Paul's Doctrine," p. 94.

21 Forsyth, "Pfleiderer's View of St. Paul's Doctrine," pp. 95-96. 強調は川上による。

22 Forsyth, “Discourses by Professor Bouvier,” pp. 410-411.
23 Forsyth, “Discourses by Professor Bouvier,” p. 411.
24 Forsyth, “Discourses by Professor Bouvier,” pp. 411-412.
25 Forsyth, “Discourses by Professor Bouvier,” p. 412.
26 Forsyth, “Discourses by Professor Bouvier,” p. 412.
27 Forsyth, “Discourses by Professor Bouvier,” pp. 412-413.
28 Forsyth, “Nouvelles Paroles de Foi et de Libereté,” p.379.
29 Forsyth, “Nouvelles Paroles de Foi et de Libereté,” pp.379-380.
30 Forsyth, “Nouvelles Paroles de Foi et de Libereté,” p.380.
31 Forsyth, “Discourses by Professor Bouvier,” p. 413.
32 Forsyth, “Nouvelles Paroles de Foi et de Libereté,” p.380.
33 Forsyth, “Discourses by Professor Bouvier,” p. 412.
34 Forsyth, “Nouvelles Paroles de Foi et de Libereté,” pp.379-380.
35 Mackintosh, Robert, “The Authority of the Cross,” Congregational Quarterly, v. 21, Jul. 1943, pp. 209-218. 以下Mackinsosh, “The Authority of the Cross.” より略。
36 Mackinsosh, “The Authority of the Cross,” p. 210.
37 “The Authority of the Cross,” pp. 210-211.
38 “The Authority of the Cross,” pp. 211-212.

39 "The Authority of the Cross," pp. 212-213.
40 "The Authority of the Cross," p. 215.
41 "The Authority of the Cross," pp. 216-219.
42 "The Authority of the Cross," pp. 213. 強調は川上による。
43 "The Authority of the Cross," pp. 216-218.

［解説②］

コロナの時代の死と葬儀――『聖なる父』の現代的意味*

現場の神学＝Positive Theology の挑戦

＊『時の徴』158号、2020年6月、27―45頁

例えばパンデミックの時に、キリスト教に何ができるのだろうか。神学に何が語れるのだろうか。教会にはどんな役割があるのか。本稿はこの課題への挑戦となる。

２０１１年3月11日から始まった東日本大震災、つまり地震・津波・原子力の三重災害の中で、筆者は「現場の神学」の可能性を知らされた。「現場の神学」は、それ以前には構想としてのみあったが、現場においてそれは精錬され、確かに筆者を支えた（拙著『被ばく地フクシマに立って——現場から、世界から』ヨベル、２０１５年も参照）。

この論稿は本来、２０２０年3月19日の研修会において筆者が発題すべきものを文字とするように求められたものである。発題そのものは、被災地の現状報告ということであったと思う。しかし今、これを書くことの意味を考える。編集部からは「比較的自由に」書いてよろしいとの言葉もいただいた。それで、本稿は、被災地で培った事柄を反省し、今、何を語りうるのか、を記すものとしたい。そして本稿はまた、２０２０年3月に脱稿した日本宣教学会への寄稿「現場の神学と被災地の希望」[1]の続編としても位置づけてみたい。

本稿の構成はこうである。

まず「序」において、100年前にあったパンデミックと戦争を、今の「合わせ鏡」として取り出し、そこに神学的営みをもって切り込んだ人として、フォーサイスを召喚する。

次に、「1」として、「不要不急」を鍵語として、津波被災地で確認された事柄との照応の中で、現下の問題を取り出す。そこで取り出されるのは「死が情報化される」という問題である。その問題は(i)「死」から「絶命」が剥奪されることと、(ii)「死」が「下知」されるものとなること、という二つの面を表裏一体として持っている。

次に「2」として、この問題への対応の手がかりを、「moral」を鍵語として求め、『聖なる父』に示された「沈黙」を手がかりに、葬儀と祈りの意味を確認する。

最後に「結」として、次の課題を提示して本稿は閉じられる。

本稿の目次は以下の通りとなる。

序　戦争と疫病——100年越しの合わせ鏡
（1）ジョルダーノの告発：詐欺としての戦争化
（2）世界の分断とその反動としての一体化：100年前は戦争に
（3）世界の一体化とその反動としての分断：今は疫病に

1　「不要不急」と「死の情報化」
（1）緊急に必要な祈りと儀式
（2）パンデミックと津波被災地の照応

2　コロナの時代の「テロス」と葬儀
（1）「絶命の剥奪」と「流動化する世界」と「moral」
（2）「絶命を剥奪された死」からの回復としての葬儀

結　現場の神学＝Positive Theology の挑戦

（1）現場の神学と「positive theology」

（2）フォーサイスの「positive theology」

（3）挑戦すべき課題

序　戦争と疫病――100年越しの合わせ鏡

本稿を書いているのは2020年4月末から5月初旬の日本である。この間、世界的にパンデミックがなお継続するとの見通しの中で、米国と中国の間の緊張が高まり、[2] また、イエメン内戦等中東全域に動乱の予兆がある。まず「序」として、最初に戦争と疫病の区別を通し、本稿で中心的に参照するフォーサイス神学の可能性を示唆して、議論全体の準備としたく思う。

(1) ジョルダーノの告発：詐欺としての戦争化

2020年3月20日に、イタリアの作家パオロ・ジョルダーノは以下のように新聞に寄稿した。

このところ、「戦争」という言葉がますます頻繁に用いられるようになってきた。フランスのマクロン大統領が全国民に対する声明で使い、政治家にジャーナリスト、コメンテイターが繰り返し使い、医師まで用いるようになっている。「これは戦争だ」「戦時のようなものだ」「戦いに備えよう」といった具合に。だがそれは違う。僕らは戦争をしているわけではない(3)。

今、戦争を語るのは、言ってみれば恣意的な言葉選びを利用した詐欺だ。少なくとも僕らにとっては完全に新しい事態を、そう言われれば、こちらもよく知っているような気になってしまうほかのもののせいにして誤魔化そうとする詐欺の、新たな手口なのだ(4)。

神奈川での不動産案内人への強盗（4月26日）、大阪でのパチンコ店への爆破予告（4月28日）、青森での立てこもり（4月28日）、宮城での知事を「殺す」との脅迫（4月29日）、東京での交番襲撃（4月30日）と、本稿を書く間、立て続けに事件が起こった。「完全に新しい事態」が人々を不安で包んでいることを思わせる。そうした中で「よく知っているような気になってしまうほかのもの」を提示することは、為政者にとっても、あるいは大衆の潜在的欲求にとっても、魅力的な誘惑となるかもしれない。

以下、100年前の「戦争と疫病」の時代と今とを引き比べ、そこに生きた神学者の声に聴き、教会とキリスト教の可能性について述べて、本稿の序としたい。以下に確認することは、100年前、「世界の分断と一体化」が、今とちょうど「合わせ鏡」に映したように反転して存在したこと、そして、今と「合わせ鏡」のような100年前の世界に、神学とキリスト教と教会の可能性を見つめつつ、それが機能しなかったことをロンドンで議論した神学者がいたことである。その神学者の名はフォーサイス〔Peter Taylor Forsyth, 1848-1921〕という。以下の議論は、フォーサイスを本稿の主題をめぐる議論の参考人として召喚する手続きとなる。

（2）世界の分断とその反動としての一体化：100年前は戦争に

今からちょうど100年前、人類は戦争とパンデミックに傷ついていた。その時の戦争とは「第一次世界大戦」であり、その時のパンデミックとは「スペイン風邪」と呼ばれる感染症の流行であった。そしてこの二つを経て世界は「第二次世界大戦」へと雪崩れ込んでいった。

歴史人口学者の速水融は、人類の「密集と移動」によって惨禍が拡大したスペイン風邪について、その研究が十分なされなかったことを問題視していたという[5]。キリスト教思想あるいは神学の主題としてスペイン風邪を取り扱ったものがどれほどあるか、筆者はまだ確認すらできていない[6]。

他方で、世界大戦を主題とした神学的言説はあまたある。その中でも筆者はフォーサイスを想起したい。フォーサイスが第一世界大戦の中で提起した事柄は、第二次世界大戦の中で回顧され、大戦後に「フォーサイス・ルネサンス」と呼ばれる現象を引き起こすことになった。その時、フォーサイスの下で神学を学んだコックス［Cocks, Harry Francis Lovell, 1894–1983］は以下のように記した。

第一次世界大戦下において問われたことは、今もなお問われ続けている。「もし神が正しいなら、何故神はいくつもの戦争をおゆるしになるのか。何故ヒトラーがヨーロッパを荒廃させることを、神はおゆるしになるのか。我々の目の前で死んでゆく文明に対して、キリスト者は何を語らなければならないのか。」さらにもう一つの問いを加えることができるだろう。「原子爆弾の戦慄すべき潜在能力によって、我々と同様、神も途方に暮れているのではないか。」[7]

コックスによると、これらの問いを惹起する第二次世界大戦下の世界に対して焦点を合わせる言葉を、既にフォーサイスは、第一次世界大戦下において語っていた。そのことをコックスはフォーサイス1916年の書『神の義認』[8]から解説する。

フォーサイスはその生涯を通じて安易なヒューマニズムに反対してきた。[9]民主主義が持つ可能性とその限界性についても深く考察を続けていた。[10]そこで到達した問いは、果たして人類を一つにする途はあるのだろうか、というものであり、教会にその可能性があるはずだ、というのがフォーサイスの見通しであった。コックスは、実際に教会合同を目指すエキュメニカル運動が第一次世界大戦の勃発と同時に起こってきたことに注目する。[11]教会の合同だけでなく、人類の一致も、逆説的に戦争において示されているのではないか――

そのように考察を進めながら、コックスは以下のように述べる。

　戦争は戦争自身が持つ荒っぽい回答を用意している。つまり、結局の所、人間は事実上一つであるということだ。現代の戦争は世界戦争［world-war］を意味する。そして世界戦争は世界の混沌［world-chaos］を導出する。破滅の中においては、最終的には中立も、孤立も、協定も何もないのだ。しかし、もしかすると、破滅の中にあるこの統一性は、それ自身、より深い統一性の指針なのかもしれない。(12)

　しかし、「より深い統一性の指針」となる「破滅の中にある人類の統一性」を見出す基盤など、一体どこにあるのだろうか。かつて有望視された「文明」や「進歩」あるいは「社会改革の工程表」は、世界大戦を経る間に、フォーサイスの目にはまったく役立たずに見えてきた。「戦争に用いられた爆弾程度の力も、それらは持ち合わせていなかった」と語るフォーサイスの言葉を引用しつつ、コックスは以下のように続ける。

そして我々の世代は、初めて爆発する原子爆弾の爆音を聞き、イデオロギーが寛容さと人間らしさを締め出す壁となって立ちはだかったことを見た。次のようなフォーサイスの言葉に対して、我々はただそれを強調する他に術《すべ》を知らない――「我々は文明化し、自分以外のすべてを覆い尽くすような力を手に入れた。我々はすべてにおいて成長したのだが、しかし、すべてを圧倒する我々の力を制御することだけは、未だできていない。[13]」

世界大戦は、人類が世界を分断することで、引き起こされた。人類は世界を分断することができるようになった。その分断する力を、人類は制御できなくなっていた。そしてその反動として、世界は「一つになって」戦争を行った。それが二度にわたる世界大戦である。そして、逆説的に、そのことが世界を悲劇において一つにした。フォーサイスはその惨状を前に、「国際社会の権威たるべき教会の機能不全」を確認した。[14] その過程において、すなわち、第一次世界大戦と第二次世界大戦の間に、パンデミックが起こった。それは「世界の分断」が逆説的に「世界の一体化」をもたらす、その過程の一コマとなった。

（３）世界の一体化とその反動としての分断：今は疫病に

疫病と向き合う今、100年前の出来事と「合わせ鏡」のように反転した出来事を、私たちは見ているのではないか。

二度にわたる世界大戦の終結後、世界を「二つ」にまとめる冷戦期を経て、「世界の一体化」が進んだ。大量殺戮の応報という悲劇に落ち込んだ欧州諸国は一体となってＥＵを形成した。そしてそのことが、すなわち「ボーダーレス化」した世界という舞台が作られたことが、中国内陸部で発生した（と見られる）新しいウイルスを世界中に急激に拡散させる結果を生み出した。それは世界中の国家を今「鎖国」的状況に追い込んでいる。ＥＵですら、国境を復活させている。

世界的パンデミックと国境の復活。それはつまり、「世界の一体化」が反動として「世界の分断」を呼び出していることを示している。「世界の分断」が進み、その反動として「世界の一体化」としての世界大戦が呼び出された、あの100年前の出来事の、その「合わせ鏡」の一面が、今、疫病という事象に見える気がする。そう見ると、今回の「反動」（世界が一体化することで起こる世界の分断）は、これから本格的に展開することが予想される。

この予想は「第二波」「第三波」という言葉を聞くとき、いよいよ強くなる。

スペイン風邪において「第二波」あるいは「第三波」があったことはよく語られている。また、それらが「第一波」よりも深刻な事態を呼び起こしたことも。そしてそれと符合するように、今回のパンデミックについても「収束後に再拡大する」という分析結果を提示する声は少なくない。(15) 医療現場からも、例えばこのように語られている。


大本営は各防衛部隊に機関銃を数台と新手の見張り番を送り、そこは充足しつつある。だが機銃手はそれまでの闘いで疲労困憊《こんぱい》。手持ちの銃弾もあと少し。補給の目途もない。かくして大本営は言う「弾は各部隊工夫して調達せよ」と。そしていま目前の闇の中には小隊程度の敵がいて、遊撃戦でこちらをかく乱しつつ本隊に合流せんと退却を始めている。だが大本営も将校連中も従軍記者もそして政治家も、みんなこぞって恐怖に駆られ、機銃手に命じて叫ぶ。「とにかく撃ちまくれ」。だが早晩弾は尽きる。闇の先では敵の本隊が静かに総攻撃の準備をしている。(16)

感染の拡大速度を遅くするためには、人の移動を制限しなければならない。国境であれ、県境であれ、およそ「境」というものを再評価し強化しなければならない。したがって、米国トランプ大統領が進めてきた移民政策を支持してグローバリズムを批判する者[17]は、今、自らの正当性を誇示するときを得ている。しかし、たとえ余力ある国々・諸地域がその「境」を強化し世界を分断して自国内の感染拡大を抑制できたとしても、その外側には、そうできない広大な地域が残される。そこでウイルスが拡大する可能性が残される。そうである限り、ウイルスの変異も進み、いつかそれは「境」を越えて「余力ある国々・諸地域」に侵入してくることになるの[18]ではないか。短期的な対策の強化（国境の封鎖など）は、人々に国際的関心を喪失させ、中長期的な対策（世界中の感染抑制）の阻害要因になり得る。ここに矛盾がある。もし、私たちが完全にウイルスを撲滅することができなければ、あるいは、もし、私たちが世界とのつながりを遮断して生きていくことができなければ、この矛盾は残り続ける。そして「ウイルスの撲滅」あるいは「完全な自給自足の生活」の、その両方とも、人類に「できる」と、簡単には言えないと思う。人類の無力を思わされる。

ここでまた、100年前の「合わせ鏡」を見る気がする。100年前は、人類の力が暴走し、それを止めることができなかった。今は、人類の無力が露呈し、やはり私たちは為す術を失っている。そして、100年前と同様、世界を分断すればするほど、世界はすでに一体であることを私たちは思い知らされることになる。

100年前にあった「戦争と疫病」の、合わせ鏡として、今がある。そう思えば、100年前の世界において役割を果たせなかった教会の失敗を指摘するフォーサイスの言葉とその神学に学ぶ意味が、今、あるのではないか。そう思い、本稿はフォーサイスに聴きながら議論を展開する。

1　「不要不急」と「死の情報化」

今、何を自粛すべきなのか。私たちの何が「不要不急」なのだろうか。この問いを入り口として、以下、パンデミック下でせり上がってくる課題を取り出す。そのための方法論は、「津波被災地との照応」である。その結果取り出される課題とは「死の情報化」である。

(1) 緊急に必要な祈りと儀式

「不要不急」という言葉が、私たちをゆっくりと包囲し始めている。「自粛」という要請によって、物理的に職場を奪われ、電車での移動時間を奪われ、会議を行う機会を奪われ、余暇に行う「レクリエーション(再創造)」を奪われた。そして気づかされる。それらは

「不要不急」であった。これまで、私たちは「不要不急」のものにとらわれてきた。――いや、そうではなくて、むしろ、私たち自身の多くの部分が「不要不急」であったのかもしれない。その疑念が、静かに侵食し、真綿で首を締める様に私たちに迫ってくる。

パチンコに行けず、飲み会に行けず、マンガ喫茶に行けなくなったとき、そこに生きがいを見つけていた自分自身は「不要不急」であった（と判定された）。会議が行われず、決済のハンコを押せなくなった時、それをするために人生の巨大な時間を費やしてきた自分自身に「不要不急」の烙印が押された。――こうした疑念あるいは絶望が、現下の不安の核心にあるのではないか。それはつまり、社会が私たち自身を選別してくるという脅威に、私たちは今さらされているということではないか。

教会はどうか。礼拝は「不要不急」であった、という判定を受けるのか。行政は礼拝を自粛要請の対象としなかった。しかし礼拝堂の多くが閉められた。その中のある程度は、膨大な努力によって組み立てられた「オンライン」の礼拝、あるいは説教原稿の配布などの「文書」による礼拝に移行した。一方で、ある程度の割合で、礼拝そのものをやめてしまったところもある。

礼拝は、不要不急なのか。祈りと儀式は、はたして必要で緊急の事柄なのか。筆者は津波被災地で、この問いに明確な答えを得ていた。それは必要だ。それがなければ、人間は人間でいられない。人間は人間としての尊厳を保てない。人間が人間でいられなくなり、人間としての尊厳を失った場合、生き残ることそのものの価値が揺らぐ。そう確信している。

それは具体的にはこういうことだ——「目の前の世界（此岸）」が揺らぐ、その悲劇の中に共に立ちつくすとき[19]、「限界をさらしながら、それでもここにいる、その不思議」を体現することができる。その不思議の中に、揺らぐ此岸を超越した「もう一つの世界（彼岸）」が表現される。それが弔いということである。そこには「超越への通路としての祈りと儀式」の「不要でも不急でもない＝緊急に必要な」意義がある[20]——これが、津波被災地における「現場の神学」として筆者が学んだことであった。

（2）パンデミックと津波被災地の照応

今、パンデミックの中で、この津波被災地での学びを照応させてみる。

津波被災地で、死は「情報」となった。「絶命」する時を共に過ごすことが、津波被災地の遺族には、ほぼ、できなかった。行方不明者を探す親族は、「発見された」という情報を辿った先で、発災間もない頃は躯となった遺体と対面し、そしてそのうち遺骨となった遺体を引き取り、そして気づくと「遺族」となった自分を発見した。

パンデミックの中における遺族は、これと似ている。ただし、躯《むくろ》となった遺体と対面することはできずに、最初から、遺骨となった遺体を引き取って、近親者は「遺族」となる。それは例えば以下のように報道されている。

肺炎に苦しみながら、死ぬまで家族と話せず孤独のなか死んでいく患者。そして直接別れを告げられず、大切な人を失う家族。亡骸との対面や葬儀、周囲の人に話を聞いてもらうなど、深い悲しみを受け入れる上で重要なプロセスを、新型コロナウイルスは奪う。日本国内の新型コロナ感染者は今なお増えている。死に目に会えない〝コロナの看取り〟についても、具体的に考える時期に来ているのかも知れない。(21)

ここで〝コロナの看取《みと》り〟について、津波被災地での「弔い」を振り返って考えてみる。

パンデミック下における〝コロナの看取り〟と津波被災地における「弔い」に共通するのは何か。それは、死が「情報」とされる、ということである。死が「情報」となる、とはどういうことか。それはおそらく、(i)「絶命」を「死」から剥奪《はくだつ》することと、(ii)「死」が「下知《げじ》」されるものとなる、ということである。この二つは一つの事柄の表と裏である。(22)これを詳述するなら、以下のようになる。

(i) 死が「情報」とされることで、「死」は「絶命」から切り離される――死にゆく当人だけを例外として。絶命は人生の到達点である。本来、死は絶命と共にあり、死にゆく当人を看取る者が、その絶命の時を共有する。その共有は、実際には、その絶命の時を「共有できない」という無力さの中で、しかし現実に「絶命の共有」が遂行される。それは悲劇の中に逆説的な一体感を生み出す。人はそうして、死の時を耐えてきた。古来、死に行く者は、そのようにして絶命の時の孤独に耐えた。看取る者は、そのようにして絶命する者の孤独を追いかけ、痛み／悼《いた》みの中で死に行く者との絆を再構成し続けてきた。死とはそうした事柄の総体であった。しかし、死が「情報」となることで、これら一連の過程が剥奪される。死は絶命から切り離され、死に行く当人は孤独の中を死に、その孤立する痛みは誰にも知られないものとなる。

（ii）また、死が「情報」となることで、人は死を「下知」されることになる――特に、遺族は。本来、死は服喪《ふくも》［近親者の死後、一定期間外出などを控え身を慎むこと。］の中でゆっくりと納得されるものである。そして実は、死に行く当人を看取る時から、その過程は始まっている。その納得は「受け入れがたい」という哀惜の情を抱えながら進展するという、逆説的な過程を経る。古来、死者を看取る者は、そのようにして別離の寂しさに耐えてきた。近親者は、共に過ごすその長い時間によって情愛を表現し、それを「末期の精神的（霊的）支え」という贈り物として死に行く者に提供することで、精一杯の真実を尽くすことができた。死とはそうした過程の総体であった。しかし、死が「情報」となることで、これら一連の過程が失われる。「死」は医療や行政に位置する権威者によって「下知」され処理されるものとなる。こうして、死別の寂寥に耐えねばならない近親者は備えの時を失い、ある時突然「遺族となった自分」を発見することになる。

2　コロナの時代の「テロス」と葬儀

社会的要請によって、死は定義される。現代においては、法によって定義された死が、医師によって判定される。そしてそれは「情報」となって近親者に伝えられる。他方で、死にゆく当事者は「絶命」をしてゆく。それはあらゆる定義とずれながら、漸次的に、そして孤独に、遂行される。近親者はその孤独な道行きに寄り添う。本来であれば、私たちの死の現場において、この二つは相克するように同時並行で展開する。私たちは社会的存在であり、そして同時に、個人的存在であるから。しかし、津波被災地やパンデミック下において、後者が遠景に下がり、前者が前面にせり出して全面化する。そして今、パンデミック下においては、「不要不急」という言葉が、すべての人に、ゆっくりと迫ってきている。個人的脅威（死の情報化）と、社会的脅威（自分自身が社会的に選別されて行くこと）の二つが重なる。これが、今、個々人の幸せを脅かす危機である。

今ここで、もう少し立ち止まり、遠景に下がる後者、すなわち「絶命」について、神学を用いて見つめてみたい。そしてそこから少しだけ歩を進め、「不要不急」が迫る今に向き合う方途を提示してみよう。

(1)「絶命の剥奪」と「流動化する世界」と「moral」

絶命は人生の到達点である。到達点のことをギリシア語で「τέλος = telos = テロス」といい、それは「目的」とも訳される。神学の中には「テロスの学 = teleology = テレオロジー」があり、それは「目的論」と訳されている。ここまでの議論において「絶命の剥奪」という「コロナの看取り」の問題が確認された。「絶命の剥奪」は「テロスの喪失」をもたらす。テロスの問題について、神学は「teleology = 目的論」という分野で議論してきた。たとえば先に見たフォーサイス１９１６年の書『神の義認』[23]は、世界大戦下において破壊されつつある社会の再建を目指して「teleology = 目的論」を論ずるものとなっている。その中に語られている以下の言葉は、今の私たちにも響くものとなるかもしれない。

歴史の到達点を見出す議論［a teleology in history］に基づく信仰がなければ、魂はあてどもなくさまよい出てしまう。特に今、物事はひたすらぐらついているという不安に、魂は追い立てられている。あるいは、気まぐれな風が前へ後ろへとくるくる向きを変え、それに振り回され軌道を失って、今や魂は擦り切れんばかりだ。そんな今、目的論的に確保される信仰によって、魂を守られなければならない。(24)

すべてが揺らぎ、世界は一体化を強めつつ分断される。そうした中で社会は再編成を余儀なくされる。社会だけではない。世界全体が、再編成されようとしている。(25) そうした不安定さの中で「不要不急」という言葉が大規模に流通する。自らの多くの部分に「不要不急」の烙印が押される。そのことと「死の情報化」が並行して起こる。死の場面における絶命は死に行く当人だけの問題となる。病院における孤独死が一般化し、権威者に「死の情報」が独占される。人生の多くの部分が「不要不急」と評価され、そして最後には一人で絶命を引き受けなければならない。今私たちが向き合っているのは、そういう光景だ。

個人の人生の到達点（テロス）は、絶命である。その絶命＝到達点が、刈り込まれている。「その到達点にどんな意味があるのか」という問いが、今、片面において鋭く突きあがってくる。

そして同時に今、「流動化する人類の・社会の・世界の到達点（テロス）は何か。その到達点に、どんな意味があるのか」という別の問いが、もう片面において、せり上がってくる。

以上の「二つで一つとなった問い」への答えを、例えば神学は、提示することはできるのか。その提示ができなければ、孤立化する死と流動化する世界とを前にして、キリスト教と教会は、何か積極的な事柄を提示できるのだろうか。そして「事実、キリスト教と教会は、何も提示できず、失敗した」と、フォーサイスは今から100年前に語った。今の状況の、ちょうど「合わせ鏡」に映るように展開する様を、英国で眺めながら、1916年の書物にフォーサイスは以下のように記した。

キリスト教の失敗の主要部分は、まさに道徳における失敗だった。近代社会のための指針となりそこなったのだ。それで、近代社会が神を失ったエゴイズムに陥った時、それを修正することも治癒することもできなかった。失敗の根は、道徳の霊的側面の中へと、深く伸びていったのだ。[26]

フォーサイスは「moral（道徳／建徳性）」という語で、社会の到達点を語ろうとする。飽和し爛熟して崩れ去る、そうした社会の終極にあるべきものを、「moral（道徳／建徳性）」という語で捉えようとする。そしてそれがフォーサイスの神義論（神がはたして正しいのか＝この世界と人生には正当な意味があるのか、を問う神学議論）となる。「神義論において目的論は先鋭化する」[27]とフォーサイスは主張する。

そして同時に、絶命において終極に到達する個人の人生において、この問いは同じ答えを持つとフォーサイスは言う。以下のとおりである。

冷たい鉄が私たちの魂の中にねじ込まれるような気がする。今、最悪の問いが、最重要の事柄として、せりあがってきている。今、はっきりとした痛み・悪・疚しさを伴って、この世界の混乱が私たちを苦しめている。想像もできなかった事態に、私たちの人生は撹乱されている。事態の推移に振り回されて、私たちの人生は落ち着きを失い、打ちひしがれている。「善」ということが壊れてしまったように見える。私たちは、私たち自身を、信じられなくなってしまった。この時「悪と苦しみ、罪と悲しみ、悲嘆と善良さがいかにつながっているのか」という問いが、身に染みて迫ってくる。「この人生の到達点にいったい何があるのか」という問い［teleology］が切実なものとなった。その答を知りたいという思いは激しさを増し、深刻になってきた。「神は正しいのか」という問い［theodicy］が魂の底から噴き出している。その最終的な答は道徳的に正しいものとなるのだろうか。神は確かに正しい方なのだろうか。「物事の到達点は何か」という問いは、今、危機の中で凝集している。危機において、私たちは啓示を必要とする。啓示は、神が自分自身の正義を確立することにおいて私たちに示される。(28)

人間個人の終極である絶命が、近親者から切り離されてしまう。恒常性をその本質としていなければならないはずの社会が、動揺してどこに向かうのかが見えなくなる。この二つは「今」起こっている。そしてその二つは「100年前」にも起こった。その中で、この社会の行く末と人生の意味に疑念が生じる。その疑念は不安を呼んで今を脅かし、結局、将来を揺るがせにする。ここで「此岸」の限界が露呈する。「彼岸」を語る言葉が必要となる。100年前、フォーサイスはそれを「moral（道徳／建徳性）」という言葉で語ろうとした。

フォーサイスが「moral（道徳／建徳性）」という語をもって語ろうとしたものは何であったか。それは、教会が保持し、キリスト教が「啓示」として提示する「キリストの死と復活の物語」すなわち「十字架」であった。以下、このことを確認し、さらにそこに「絶命を剥奪された死」が語られていることを見る。そして、そこにキリスト教の神話的核心を新しく読み込むことが、つまり「葬儀」という儀式であることを述べる。

(2)「絶命を剥奪された死」からの回復としての葬儀

大戦中の1917年にフォーサイスは「社会の道徳原理であるキリストの十字架」と題

した小論を発表している。その中でフォーサイスは次のように語る。個々人の存在は、社会の中にある。人間は社会的動物である。だから、人間は教会を作り、国家を作る。そして世界大戦を前にして、国家は人類を分断する道具となった。教会はどうか。人類が社会的動物である以上、その社会的一致のための基盤があるはずだ。それをフォーサイスは「moral（道徳／建徳性）」という語で表現し、国家がそれを体現できなかったことが戦争によって露呈した今、教会にはそれを体現し、人類の一体性を確保する責任がある、と、1917年にフォーサイスは理解する。[29] では、そこで確保されるべき「moral」とはどんなものか。それは神学的にはどう理解されるのか。ここで「神学とは啓示（あるいは神話）の解釈である」という定義にふさわしく、フォーサイスはキリスト教において啓示とされる「十字架」の物語（キリストの死と復活の物語）の解釈（神学）をそこに差し込む。以下のとおりである。

その中心は十字架である。十字架に、人類の道徳的危機［moral crisis］がある。（ここで危機という言葉を用いることに違和感を覚える人もいるかもしれない。そういう場合は、「十字架に人類の建徳的展開［moral development］の大いなる中心がある」と言い換えてもいいだろう。）では、キリストの十字架の中にある建徳的事項とは、いったい何であるか。それはキリストの内面にあった意識とは関係ない［中略］イエス自身の内的経験について、イエスはまさに沈黙を守った。そうして、イエスは自分の内面にあるものよりもむしろ、自分と深く結びついているものを示そうとしていた。(30)

「moral」の中心は十字架であるという。そして十字架の核心には「沈黙」があるという。その沈黙とは何か。その内容を詳しく語っているものとして、フォーサイスが1896年に発表した以下の言葉が参照されよう。

キリストの沈黙は、苦い悲しみの盃から流れ出てきたものだ。すべてを見通している者には、苦しみなどない。苦しみを叫ぶことは、幾分かでも、苦しみから逃れることだ。誰かに苦しい胸の裡を打ち明ければ、苦しみは和らぐ。孤立したまま死ぬことこそ、死の中の死というものだ。沈黙は悲しみの中の悲しみである。沈黙は死よりもさらに深く魂をえぐる。福音書は救い主が「真に死んだ」ということを、その沈黙を以て語る。「救い主は徹底的に苦しんだ」「救い主は何も知らなかった」「救い主は孤独であった」「救い主は暗黒の中で確信を持っていた」「救い主は信頼していた」「救い主は完全な服従を示した」ということを、福音書は沈黙によって私たちに伝えている。[31]

神学とは、啓示の解釈である。キリスト教において啓示とは、十字架の物語を中心とする聖書と教会の神話体系の総体である。フォーサイスは「啓示の中心である十字架の物語」の核心に、イエスの沈黙を読み取った。フォーサイスにおいてそれは、「絶命を剝奪された死」を突きつけられた個人が、それにもかかわらずそこに神の愛があることを信じて、それを完全に受容し遂げた物語として、解釈されている。そして、フォーサイスは続けてこう述べる。

救い主の沈黙と、聖書の沈黙と、その両方ともに、「天の御父が隠れてしまった」という恐るべき沈黙に照応している。

その沈黙の中に、「来るべき時」が映し出される。その来るべき時とは、人を保護し贖おうとする神の業が頂点に達する時である。また同時に、その沈黙の中に、「最悪の試練」が映し出される。その最悪の試練とは、「聖なる服従」と「死にまで至る信頼」という最終的な試練である。

その沈黙の中にあったのは天の御父の怒りではない。御父の聖なる愛であった。それは言葉に語ることができず、目に見ることができず、その御業によってのみ示され、復活によって明示された。ただ沈黙よってのみキリストの愛は語られた。それは最終的には「キリストの御業」によって、そしてその神秘の死によって、示された。それと同じく、神はただ沈黙のうちにお応えになる。それは死から御子を引き上げるという「神秘の御業」によって示された[32]。

人生と社会の危機の最深奥において、彼岸と此岸が接点を持ち、そこから意味の逆転が起こる。そのように十字架の物語を解釈する。ここに、人生の到達点としての「絶命」の意味の回復が始まる。社会が混乱の中に落ち込むその終着点も、そこから読み取られて行く。そのようにして、「絶命」や「混乱」の現場の直中に立つ者が、そこに彼岸が立ち現れることを見て、そこから改めて、此岸の再解釈を行う。これがフォーサイスの神学である。

このような啓示の解釈を、音楽と朗読と沈黙と光と闇を用いて儀式化して表現するのが葬儀である。そのうちの言語的表現が祈祷である。それは「絶命を剥奪された死」からの回復が神によって成し遂げられることを表現し、その希望によって孤立した死者に寄り添い、不条理によってちぎられた故人をその神話体系の中で包摂し遺族との絆を再構成する作業となる。

こうしてなされる葬儀において、故人の人生の「不要不急」ではなかったことが確認される。「絶命」の剥奪によって「情報」化された死は、とりわけパンデミック下においては、いったん、権威によって「下知」されるものとなるだろう。しかし、剥奪された「絶命」の奥から回復する命を彼岸の中に（つまり啓示として提示される神話体系の中に）見て、それを此岸に（つまり葬儀などの儀式において具体的に）表現する時、事態は逆転を開始する。人間の生一つずつの、その日々の中に、意味のあったことが確認されて行く。葬儀はそれを目指す。葬儀の中でなされる祈祷は「不要不急」の烙印に脅かされる故人の生の一つ一つを捉えて神の前に差し出し、その祝福を願い、その意味を確保しようとする。[33] そしてその祈祷の努力は、もちろん、葬儀の中にとどまらない。不条理の中で呻吟する現場においてなされる祈りは、一つ一つ皆、違う形の同じ努力となる。現場でどのように祈るか。この努力は、とりわけ原発被災地において、筆者にとり切迫した課題となった。筆者はそれを「現場の祈祷論」と呼び、探求してきた。[34]

結　現場の神学＝Positive Theology の挑戦

（1）現場の神学と「positive theology」

現場の祈りは、下知される情報を拒む。教会の伝統や神学的言説が何と言おうと、それらを払いのけるようにして、神に向かって祈り、意味を求めて言葉を紡ぐ。詩編の中に何度も見られる通り、その祈りは冒涜も怖れない。[35] それはまず言葉を出す。言ってみる。やってみる。言葉を「置く」。「置く」という語はラテン語で「pono」といい、これを形容詞にすれば「positivus」、それはつまり英語の「positive」となる。

今回のパンデミックによってEUの理念は大きく後退した。その理念を提示し続けてきたジャック・アタリは、4月11日に放送されたテレビ番組の中で、「たとえ医学がウイルスとその病に勝利したとしても、長期的にみるならば、今のままでは人類は敗退する」と語り、経済の根本的な変革が必要だと訴えていた。その彼が、必要とされる変革に向けた提言をする。その中で、その提言の中心に置いた概念の一つは、「positive」であった[36]。

現場において神学する（啓示を解釈する）ことを、「現場の神学」という。それは「positive」な神学といえる。今、「positive theology」の挑戦が必要なのではないか。これまで筆者は「現場の神学」の英語訳を考えあぐねてきた。本稿の作成を通して「現場の神学＝positive theology」と考えた。以下、この説明を行い、この神学において今後検討されるべき課題を記して、本稿を閉じる。

（2）フォーサイスの「positive theology」

「positive theology」はフォーサイスの用語でもある。ここまで参照してきたフォーサイスの神学（十字架の物語に「moral」という「テロス」を見出し、そこから人生と世界の終極の意味を回復しようとする神学）そのものとして、フォーサイスは自覚的に「positive theology」を提示している。それは「liberal thelogy」と対比して語られる。例えば以下のとおりである。

ポジティブな神学［positive theology］は、罪に対する神の恩恵を経験するところから始まる。ポジティブな神学は、キリストとその十字架がこの歴史の中にどう作用するかという視点を始点として議論を組み立てて行く。十字架が、この神学の資料となり基準となる。

十字架の中にキリストの信従が示された。ポジティブな神学は、神が神であることを、この十字架によって確認して行く。

キリストは、神の御旨を行おうと思い定め十字架へと進まれた。このキリストにふさわしい水準にまで、その議論の質が建徳的［moral］なものであること――これがポジティブな神学の原則となる。

（中略）

ポジティブな神学［positive theology］は主意主義者のものである。

リベラルな神学［liberal theology］は主知主義者のものである。

ポジティブな神学は人生と世界の到達点に関する議論となる。それはつまり目的論的［teleological］な議論となる。この歴史の中におけるキリストから、世界の運命を掴もうとする。それは「キリストを世界の運命の根源であり基盤として見る神学」となる（「すべての事柄をまだ見れていない私たちは、しかし、イエスを見たのだ」と新約聖書にある通りに）。

リベラルな神学は宇宙の在り方に関する議論となる。それはつまり宇宙論的［cosmological］な議論となる。それは「この世界の構造やその動きの理由を集めて組み立てる神学」となる。

ポジティブを標榜する立場から見ると、神の決定的な啓示は、キリストのうちに示された神の御業の中にある。それは、教会の中で具体的に展開する試行錯誤の中ではっきりしてくる。

リベラリズムを標榜する立場から見ると、神の決定的な啓示は、理性の中にある。それは学校の中で観想と直観においてはっきりしてくる。(37)

東日本大震災の中で模索した「現場の神学」は、フォーサイスの「positive thelogy」の系譜として位置づけられる。今後、「現場の神学」は「テロス」を巡る神義論を軸に展開されることになる。

筆者は、東日本大震災の中で「現場の神学」を模索した。それは「弔い」の中で精錬された後、「原子力災害」の現場に挑戦することになった。そして今、このパンデミック下で筆者は「現場の神学＝positive thelogy」の挑戦を続けようと思う。以下、その挑戦の課題について、概略のみを記して本稿を閉じる。

(3) 挑戦すべき課題

東日本大震災の、とりわけ津波被災地での「弔い」の中で「現場の神学」は「尊厳」の確保を目指す可能性を宗教に発見した。そのことを基盤にして筆者は、原子力災害の被災地において「技術の目的であるはずの人間のいのちが、技術の具体的展開のための手段とされる」という恐るべき現場に立った（今も立っている）。それは「中心」であるよりもむしろ「周辺」とされている地域（いわゆる「田舎」）において、より一層重い課題となった。そこで中心的に解釈されるべき物語（神話）は、「出エジプト」の物語であった。そして、そこから、人間の尊厳を回復するために「ゆるすこと・祝福すること」だけが必要とされていると確信した。この確信は、その後の教会を基盤とした活動の指針となった。

今、これと対比して述べるならどうなるか。パンデミック下において「自分自身が不要不急とされる」現場に私たちは立っている。それは「周辺」であるよりもむしろ「中心」とされている地域（いわゆる「都会」）において、より一層重い課題となっている。そこで中心的に解釈されるべき物語は何か。今の予想では、それは「黙示文学（マタイ24―25章を中心に）」となると思われる。そしてそこでは「人生と世界のテロス（終極）」の意味が回復される方途が、焦点を絞って提示されることが、目指されているように思われる。

以上、「コロナの時代の看取り」を中心に議論を組み立て、その議論の前提として（あるいは議論への手がかりとして）100年前の「戦争と疫病」に現代の「合わせ鏡」を見つけてフォーサイスの神学を取り出し、「現場の神学＝positive thelogy」の挑戦すべき課題を提示した。

注

（1）https://xfs.jp/4ekdZ

（2）この件に関するNBSやWashinton Postをはじめとする米国のニュースソースは今泉大輔氏が自身のFacebookに整理してまとめている。記して感謝します。

（3）パオロ・ジョルダーノ『コロナの時代の僕ら』早川書房、2020年4月電子書籍版、628頁。

（4）パオロ・ジョルダーノ『コロナの時代の僕ら』早川書房、2020年4月電子書籍版、629頁。

（5）「緊急対談 パンデミックが変える世界～歴史から何を学ぶか～」ETV特集、2020年4月4日。この中で、たとえば、スペイン風邪への十分な反省を経ていない故にいわゆる「三密」という現代の専門家の発信がある、ということが、速水の弟子である磯田道史氏より示唆されている。

（6）キリスト者である医師の立場から2009年の「新型インフルエンザ」の流行と引き比べてスペイン風邪の解説を試みたものとしては小田泰子『スペイン風邪流行とその時代—東北地方と第二師団での流行を中心に—』文芸社、2015年がある。

（7）Cocks, "The Message of P. T. Forsyth," Congregational Quarterly, v. 26, Jul.1948, p. 214.

（8）*Forsyth, Justification of God: Lectures for War-Time on a Christian Theodicy*, London: Duckworth and Co., 1916.

(9) Cocks, "The Message of P. T. Forsyth," p. 215.
(10) Cocks, "The Message of P. T. Forsyth," p. 216.
(11) Cocks, "The Message of P. T. Forsyth," p. 217.
(12) Cocks, "The Message of P. T. Forsyth," p. 218.
(13) Ibid.
(14) Forsyth, *Justification of God*: p. 104.
(15) 例えば'Matthew Harrison, "As the growth in new cases of infection appears to be slowing in some hard-hit regions, what comes next? A look at what needs to happen before the world can "reopen,"" Apr. 15th 2020, morganstanley.com. https://onl.tw/2JsLi7x
(16) 西村秀一「PCR論争に寄せて —— PCR検査を行っている立場から検査の飛躍的増大を求める声に」『日経メディカル』2020年4月30日。https://onl.tw/kuhA2eg
(17) 例えば、2020年3月配信の藤井厳喜『ワールド・フォーキャスト』http://gemki-fujii.com/wf/ 等。
(18) 渋谷健司氏(キングス・カレッジ・ロンドン教授)あるいは山本太郎氏(長崎大学熱帯医学研究所教授)等の発信による。
(19) 田川建三『立ちつくす思想』勁草書房、2006年。

（20）草稿「現場の神学と被災地の希望」https://xfs.jp/4ekdZ、8頁。
（21）坂爪航一郎「《NY大学病院が公開》死に目に会えないコロナの看取り「最後の電話」で伝えるべき〝5つの言葉〟」『文春オンライン』2020年4月29日、https://onl.tw/VFs1dYw
（22）このことを筆者は、今道友信『未来を創る倫理学エコエティカ』昭和堂、2011年の、特にその第二章と第十章を手掛かりに考察している。
（23）Forsyth, *Justification of God*.
（24）Forsyth, *Justification of God*, p.122.
（25）たとえばアフリカ西部チャド共和国の作家は以下のように記している：コロナウイルスと呼ばれた顕微鏡でしか見えない小さなモノが、世界を震撼させている。なにか目に見えない小さなものが世界を支配し始めている。すべてのものに問いを投げかけ、確立していた世の中の秩序を転覆している。すべてが元の鞘に納められ、そうできないものについては、変容が迫られている。……ガレージには高級車が止まったままになっていることに、我々は気が付いている。誰も外に出ることはできないのだ。たったの数日で、誰も想像しなかった社会的平等が、完璧にもたらされた。誰もが恐怖に怯えている。恐怖は人々の立場を逆転させた。恐怖は貧しい者のもとを去り、富める者、強き者のところに住み着いた。恐怖によって、富める者・強い者たちは「人間らしさ」を思い出させられた。互いを人間として扱うべきだと、恐怖が彼らに気づかせた。こうしたことは、人類の脆弱性への気づきに役立つかもしれない。人類は火星移住を目論見、クローン技術によって永遠の命を得ようと期待していたのだ。今起こっていることのすべてが、「天の力の前に人類の知性は限界を示す」ということへの気づきに役立つかもしれない。……ほんのわずか数日で、たくさんのことが起こった。「確かさ」は「不確かさ」に変わった。「強さ」は「弱さ」に変わった。「力づく」は「連帯と協調行動」に代わった。ほんのわずか数日で、アフリカが世界で最も安全な大陸になった。この数日で、このウイルスは、夢を嘘にした。ほんのわずか数日で、このウイルスは、人間が息や塵のように儚いものにすぎないと、人類に気づかせた。……Moustapha Dahleb, "L'humanité ébranlée et la société effondrée par un petit machin," AFRIK.COM, 2020年4月24日。https://onl.tw/xrXG52i

（26）Forsyth, *Justification of God*, p.109.

（27）TELEOLOGY ACUTE IN A THEODICY：Forsyth, *Justification of God*, CHAPTER VII の章題。

（28）Forsyth, *Justification of God*, p.122.

（29）Forsyth, "The Cross of Christ as the Moral Principle of Society," Methodist Review, v. 99, Jan. 1917, pp. 9-21.

（30）Forsyth, "The Cross of Christ as the Moral Principle of Society," p. 17.

（31）Foryth, God, the Holy Father, London: Indendentpress, 1957, p. 22.

（32）Foryth, *God, the Holy Father*, pp. 22-23.

（33）今道友信氏の言葉を借りれば、これは「情報の下降」に対抗する「秘密の上昇」の宗教的展開といえるだろう。今道友信『未来を創る倫理学エコエティカ』254頁。

（34）川上直哉「十字架ヲ通ッテ光ヘ」（日本聖公会主催「原発のない世界を求める国際協議会」講演原稿）2019年。https://xfs.jp/8bikq を参照。

（35）川上直哉「十字架ヲ通ッテ光ヘ」15頁。

（36）「緊急対談 パンデミックが変える世界～歴史から何を学ぶか～」ＥＴＶ特集、2020年４月４日。

（37）Forsyth, *Positive Preaching and Mordern Mind*, NEW YORK, 1907, p. 217. 文中の聖書個所は「ヘブライ人への手紙」２章７－８節。

あとがき

フォーサイスの『聖なる父』の翻訳を終え、ヨベルの安田さんの大きな助力を得て、このように本の形へとたどり着きました。今、校正を行い、最初から最後まで読みなおして、実感しました。この書を翻訳できたこと、それが出版されること。それは、本当に幸いなことだと思います。

私は、1996年から、フォーサイスにずっと学んできました。最初、本当に歯が立たなかったのです。それでも、その「読めない英語」に魅せられた。それは不思議な体験でした。そして、読むたびに、いつも、新しい発見と気づきと助言を得てきました。今回、この校正作業の中でも、また新しくいくつも、はっとさせられました。たとえば、以下のように、です。

本書73～74頁、そして127頁から：第二次世界大戦に関連する「戦後責任」を、私たちは、どうしても、うまく担えない。それはなぜか。それは、私たちが「責任を負い、清算をする」ということの内実を、見失っているからではないか。

本書78頁：他宗教への理解は、このように堂々と、なしうるということ。それも「贖罪論」や「人間の罪」にこだわる神学者から、それが大胆に語られるということ。

本書84頁以下、そして104頁以下から：いわゆる「生活が安定しているクリスチャン」（山の手クリスチャン批判）の弱点を衝く、厳しく鋭い痛みを伴う批判。

本書93頁から：私たちが神様に求め、キリストに期待している、その時に、「求め・期待すること」それ自体が、気が付くと「まったく間違っている」ということが、いかにもありそうだ、という（求め間違いの）反省。

本書102頁、そして107頁から：「神の痛み」ということを軽々と乗り越えて、はるか先へと進み、「私たちとの出会いの中で、神が変わられる」（神の変化）という不思議を語る、その大胆さ。

きっとまた、もうしばらくして読み直すと、また別の気づきも与えられる気がします。

いつ頃、フォーサイスの書いたものが読めるようになったのだろうと、考えてみます。『フォーサイスがある日・ある朝、何を食べたのか』まで、突きとめるつもりで調べなさい」と、大学院で金子啓一先生は私に指導しました。そのつもりで、もがくように資料の中に埋もれていた、その途中、ふと、読めるようになった、気がしました。その助けとなったいくつもの資料があります。それを今回、少しでもご紹介できましたことも、うれしいことでした。それにしても、まだまだ、向上の余地があることも実感しています。間違いもあることでしょう。読者のみなさまから、ご指摘を賜れば誠に幸いです。

今、「フォーサイス読書会」は、オンラインで継続しています。私のfacebookページで、その様子をご覧いただけますし、ご参加もいただけます。『聖なる父』を終えた今、『活けるキリスト』の翻訳に取り掛かっています。それが終わったら、『キリスト者の完全』に進み、そして『教会論』と『説教論』が翻訳できたら、と願っています。つまり、「三位一体論」を終えて「キリストの身体」へ。一年に一冊くらいのペースで翻訳ができれば、本当に嬉しく思います。

そして、その翻訳を終えながら、そこから学びなおした事柄をもって現場と切り結ぶ。今回は「コロナの時代の死と葬儀」でした。同様の歩みができるかどうか。それは、フォーサイスから私が問われていることだと思います。

博士論文を書き上げようと研究をしていた時に、金子先生は私に、「何のために、誰のために、研究するのか」と、ひたすらそればかり、問いました。その問いから逃げずに、学び続けていられること。そのことを、心から感謝しています。そのことのために、たくさんの方の、とりわけ妻の、支援と叱咤があったことを思います。「あとがき」として、深甚の感謝を、新しく記したく思います。

２０２０年7月19日　石巻栄光教会の事務室で

川上直哉（かわかみ・なおや）
1973 年、北海道に牧師の息子として生まれる。神学博士（立教大学）・牧師（日本基督教団正教師）。宮城刑務所教誨師（日本基督教団東北教区から派遣）、宮城県宗教法人連絡協議会常任幹事（日本基督教団東北教区宮城中地区から派遣）、仙台白百合カトリック研究所客員研究員、東北キリシタン研究会会員、仙台キリスト教連合被災支援ネットワーク（NPO 法人「東北ヘルプ」）事務局長、食品放射能計測プロジェクト運営委員長、世界食料デー仙台大会実行委員長。2018 年 4 月～日本基督教団石巻栄光教会主任担任教師。

主な著書
『日本におけるフォーサイス受容の研究：神学の現代的課題の探究』（キリスト新聞社、2012）、『食卓から考える放射能のこと』（共著・いのちのことば社、2013）、『被災者支援と教会のミニストリー』（共著・いのちのことば社、2014）。『被ばく地フクシマに立って――現場から、世界から』（ヨベル、2015）、『ポスト・フクシマの神学とフォーサイスの贖罪論』（新教出版社、2015）『震災と市民 2 支援とケア』（共著・東京大学出版会、2015）『東日本大震災と〈復興〉の生活記録』（共著・六花出版、2017）『被災後の日常から――歳時記で綴るメッセージ』（ヨベル、2018）、『東日本大震災と〈自立・支援〉の生活記録』（共著・六花出版、2020）

YOBEL 新書 062

聖なる父　コロナの時代の死と葬儀

2020 年 9 月 11 日 初版発行

著　者 ── P. T. フォーサイス
訳著者 ── 川上直哉
発行者 ── 安田正人
発行所 ── 株式会社ヨベル　YOBEL, Inc.
〒 113-0033 東京都文京区本郷 4-1-1　菊花ビル 5F
TEL03-3818-4851　FAX03-3818-4858　e-mail：info@yobel.co.jp

装　幀──ロゴスデザイン：長尾　優
印　刷 ── 中央精版印刷株式会社

配給元―日本キリスト教書販売株式会社（日キ販）
〒 162 - 0814 東京都新宿区新小川町 9 -1
振替 00130-3-60976　Tel 03-3260-5670

 ISBN978-4-909871-26-8 C0216

東京基督教大学教授

大和昌平　牧師が読み解く般若心経［新装版］

評：村上英智氏（真言宗智山派　医王山安楽寺住職）とてもわかりやすい仏教の入門書であり、優れたキリスト教入門書でもあり、上質な般若心経の解説書である。

059　新書判・三一二頁・一一〇〇円　ISBN978-4-909871-17-6

青山学院大学大学名誉教授

西谷幸介　母子の情愛――「日本教の極点」

評：並木浩一氏（国際基督教大学名誉教授）夥しい数の日本論が出版されてきたが、日本的心性の深みを突くとともに、総合的に文化の特色を論ずる努力が払われたと言えるのか。日本文化の核心に迫る努力は依然求められている。本書はそれを意識して「納得のいく議論」の展開を心がける。

057　新書判・二〇八頁・一一〇〇円　ISBN978-4-909871-06-0

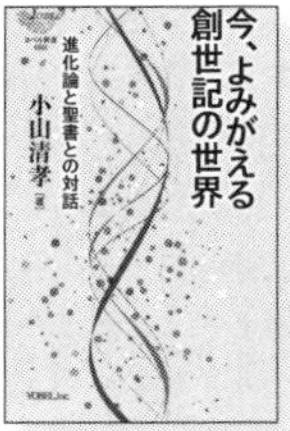

工学博士／化学博士

小山清孝　今、よみがえる創世記の世界　進化論と聖書との対話

評：中澤啓介氏（大野キリスト教会牧師）誰もが気軽に読める「デニス〝進化論〟の手引書」。それに留まらず、小山師独自の問題意識や研究成果も随所に見られ、日本人がもつ「進化論の躓き」を取り除きたいという「気迫」に溢れている。（本文より）

058　新書判・二〇八頁・一一〇〇円　ISBN978-4-909871-15-2

聖学院大学名誉教授／岡山大学名誉教授

金子晴勇　私たちの信仰　その育成をめざして

評：原田博充氏（京都みぎわキリスト教会前牧師）本書は、どの一遍から読み始めてもよいが、特に少し聖書を読み始めてこれからキリスト教の真理を深く学び始めようとする人々などにおすすめしたい書物である。

060　新書判・二四〇頁・一一〇〇円　ISBN978-4-909871-18-3

明野キリスト教会牧師

大頭眞一 説教集1　アブラハムと神さまと星空と　創世記・上

勝俣慶信氏（酒匂キリスト教会牧師）この説教集を読んだ人は、「神さまってこんなお方だったのだ」と神さまに目が開かれていきます。そして神さまの痛むほどの深い愛に心撃たれるに違いありません。（本文より）

再版出来！

056　新書判・二二四頁・一一〇〇円　ISBN978-4-909871-07-7

明野キリスト教会牧師

大頭眞一 説教集2　天からのはしご　創世記・下

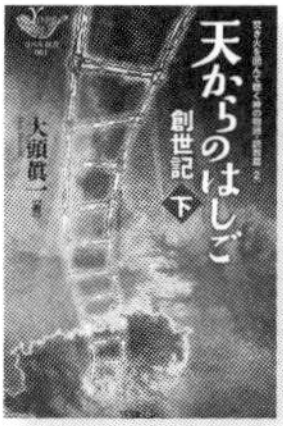

上沼昌雄氏（聖書と神学のミニストリー代表）神の物語、……それを語る牧者がその物語にどのように導かれて語っているのかは、聴衆は見逃しません。神の物語の中で説教者自身が生かされていることが分かり、会衆もその物語に導かれるのです。（本文より）

061　新書判・二四〇頁・一一〇〇円　ISBN978-4-909871-20-6

川上直哉の本

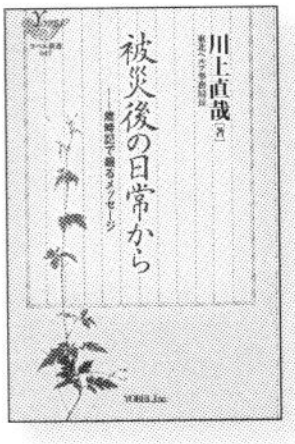

被災後の日常から——歳時記で綴るメッセージ

評：齋藤 篤氏（日本基督教団深沢教会牧師）……場所や時間が異なっても、一貫して語られていることがある。それを可能とするのは、東日本大震災という「非日常」を通して日々の生活という「日常」を歩む人々のただ中で、常に著者が現場を向いて、神学の営みを続けている結果に間違いない。その現場に昔も今も変わることなく人々を見つめ、わたしたちの存在を大切にする……神がおられることを中心にしているからであろう。それが教会暦という「歳時記」として綴られ、描かれている。

047　新書判・二〇八頁・一〇〇〇円　ISBN978-4-907486-66-2

被ばく地フクシマに立って——現場から、世界から

評：吉田 隆氏（神戸改革は神学校校長）本書は、『被ばく地フクシマに立って』現場の呻吟に寄り添いつつ、語るべき言葉を探し続ける一人の〝神学者〟のレポートである。……我々は、本書を対話の相手として、ここからどこへ向かうべきなのか、そして何をすべきなのか、自問しつつその立ち位置を確かめたいと願うのである。

030　新書判・二七六頁・一〇〇〇円　ISBN978-4-907486-21-1

YOBEL